大展好書　好書大展

品嘗好書　冠群可期

大展好書　好書大展

品嘗好書　冠群可期

·校園系列·
6

讀書三十六計

黃柏松／編著

大展出版社有限公司

保證讓你「頂瓜瓜」——序

我教過不少程度不等的學生，也接觸過很多家長和學生，聽過他們的衆多疑難和煩惱，所以，對「如何增進學習效率」這個問題，一直寄以莫大的興趣關切。

一般人都認為：「學業成績不好，原因就在腦筋太差。」這種把成績不佳的原因，一股腦兒推給「腦筋太差」的偏見，我著實不敢苟同。

一個人的素質（天份）對學習的成績並非全無關聯，但是，最要緊的還是「靈活運用的能力」。

我對成績拔尖的學生做過調查，發現他們之所以成拔尖，毫無例外地都具備「靈活運用的能力」使然。

也就是說，智商很高的學生，如無「靈活運用的能力」，成績還是徘徊在中等以下，一點也不起眼。

素質是天生的，我們無法改變它，但是，「靈活運用」的能力，後天上絕對可以藉系統的訓練，使之大大伸展，發揮驚人的神威。

換句話說，要成績日進千里，只有循著科學的方法，正確使用腦筋。與其把時間磨耗在毫無效率的方法上，不如以短時間根據宏效可期的科學方法來學習，你才能「出乎其類，拔乎其萃」，得遂所願。

本書在這方面提供了嶄新可行的最佳方法，但願在它的指引下，能夠百分之百發揮你的潛能，達成你事半功倍，每考必中的心願！

第1計　驅除自卑感

●聰明或愚笨絕非天生

我們常常聽到下面的論調：

「頭腦愈重，天份愈高。」

「頭腦的皺紋愈多，腦筋愈好。」

根據最新的研究報告，科學家們異口同聲地指出，這些論調，全是一派胡言。由於人云亦云，謠傳日久，人人信以為真，這些論調，幾乎成為一種顛撲不破的「真理」，其實，說穿了只是毫無根據的揣測之言而已，我們不必去信它。

舉個例子來說，若論「頭腦的皺紋多」，海豚頭腦的皺紋比人類多得多，不但是多，也更細緻更發達。

你說，海豚果真比人類更聰明嗎？這眞是無人苟同的事情。

若論「頭腦之大（重）」，那些人類的祖先——如今早已滅種的尼安得塔爾人（譯註一）以及克魯馬南人（譯註二），考古學家從他們的遺骨，早就研究出他們頭腦之大（重），比現代人類的頭腦，有過之而無不及，何以會滅種？

由此可見，光是腦袋大，並不管用。

頭腦必須經常使用。人類之所以有今天驚人的文明、文化，完全是領悟到「頭腦必須善為使用」的道理，才有了迄今為止的這種成就。

動物之中，只有人類的孩童時期最為漫長，這或許可做「頭腦愈用愈好」的一種證明。

所謂的孩童時期，意思是說：「在那段期間學習如何使用頭腦的時期」。

從這個意義上來說，學生時代可以說是：

「為了長成一個完全獨立的人，大事訓練靈活運用頭腦的時代」。

譯註一：尼安得塔爾人（HOMO SAPIENS NEANDERTHALENSIS），一八五六年，遺骨在德國尼安得塔爾發現，洪積世人類之一。

譯註二：克魯馬南人（CRO-MAGNON），舊石器時代居於歐洲大陸的原始人。一八六八年，遺骨在法國南部克魯馬南村發現。其後，在歐洲、北非等地區亦發現這一類遺骨，考古學家認為是現代白種人的祖先。

所謂的教室，就成為：「靈活運用頭腦的講習會場」了。

根據專家的說法，人的大腦包藏著一百五十億個以上的神經細胞。一百五十億這個數字，乍聽之下，實在無法使我們想像出到底有多龐大，而一般人在一生當中，能靈活使用的神經細胞，充其量只不過是其中極其微小的一部份而已，由此可知，人的腦部構造有多複雜了。

一般被稱為高材生、天才之類聰明一等的人，之所以如此，只不過是比普通人多用了些神經細胞而已。只要學到靈活運用頭腦的技巧，本質上，人的頭腦都有著無限發達的可能性——這絕不是誇大之詞。

我們只要想辦法把「還在睡大覺的潛能」，加以刺激，將它引發出來，把高級的頭腦機器操縱自如，你、我都可以成為聰明一等的人。

西洋有句格言：

"No man is born wise or learned"（世上沒有生而聰明或生而有學識的人。）

善哉斯言！世上沒有生而聰明的人，也沒有生而愚笨的人。讀書36計中的第一計，要告訴你的就是：先驅除「我是不是腦筋太差？」「我是不是生來愚笨，怎麼努力也沒用？」之類毫無意義的自卑感。

一掃這種自卑感，你就可以昂然挺胸，充滿信心地跨出「改造自己」的第一步了。

第2計　解剖效率不高的原因

一般學生在學校只知忙於吸收知識，老師也只知忙於講授知識，極少教學生如何活用頭腦。學習游泳的時候，教練會詳細教我們如何動用手腳，可是，事關如何讀書，絕大多數的人都各自使用效率不彰的方法，不斷地徒耗精力和時間。

方法不當則目的難達，所以，你必須對自己的讀書方法來個「大解剖」，找出缺陷所在，以便對症下藥。

成績不佳的人，大概不外乎下面三種型。你是那一種型？請來個自我解剖吧。

●默守成規型

人的頭腦有個缺點，那就是，一旦形成某種型，如果照那個型來使用，效率就不至於太差，要是逸出那個型一步，它就變得不容易使喚。有些作家，任他們寫多少作品，總是脫離不了某種「框」（傾向），終至寸步難進，陷入極端的痛苦。

這就表示他們的頭腦已經給崁進特定的某種類型，無法開拓出嶄新的創作方向。我們稱這種情況為：「墨守成規，千篇一律。」

當一個人陷入一成不變的局面而無可自拔，如要打破那種局面，就得花費造成那個型的兩、三倍勢力，才能如願以償。要是設法克服那種困局，重新塑造活用頭腦的新習慣，效率就復見上升。

「腦筋好」的人，換句話說就是「腦筋靈活」的人。當他受困於舉止維艱的局面，就懂得及時打破那種困局，另創一種新的腦細胞使用法——所謂的「腦筋好」，就是指這而言。

●意願消失型

我們常看到小孩子做功課時有一種「好像在玩，又好像在做功課」的現象。往好的方面解釋，這是「享受做功課的樂趣」，往壞的方面來解釋，這是「漫不經心」。硬要小孩做他們毫無興趣的事，他們一定試做強烈的抗拒，反過來說，只要他們感到興致淋漓，即使邊玩邊做，很快就把它學好。

這並不是因為「小孩都是這樣」，而是充分證明了「頭腦的作用」在本質上就是如此。也就是說，人的大腦，由於興趣或是學習意願而呈現緊張狀態，它的作用也隨著達到最高峰。在索然無趣的情況下學習，或被強迫做無目的的學習，即使是大人，也會猛打呵欠，或是累極而睡意來襲。

在這種情況下，就算極力鞭策自己，伏案數小時，也難望效率大增。

所以說，你如果對目前學習的某種科目，不發生一丁點「學習的樂趣」，那就表示，你的學習方法就大錯特錯，值得檢討。暫且不談原因何在，這時候，你的腦細胞已經像斷了電的電池，發生不了任何作用了。

●時機不對型

棒球比賽的時候，如果揮棒的時機稍微不對，任何腕力再強的選手，也無法打出漂亮的球。揮棒而打的時機，太快了也不行，太慢了也不行。

同理，學校裏老師的授課和預習、復習、時間的關係——這些之間的時機是否得宜，跟學習的效率息息相關。

看考上一流大學的學生所寫的經驗談，我們不難發現他們有共同的地方。那就是：該預習的時候就預習；百分之百活用聽課的時間，該問則問；復習也分為第一次復習、第二次復習，可說是有條不紊，適時而為。

如此一來，什麼「投考秘訣」就成了枝節之事，勝敗可說是取決於平時學習的「適時與否」了。

一般人的學習方法，可不是這樣。

譬如，覺得「老師好像會指到我」的時候，他們才肯預習。聽課的時候，忙於「筆記老師的授課內容和問題解答」。

說到發問，由於「不曉得問些什麼好」，所以，乾脆作罷。

說到復習，由於一拖再拖，不知不覺中定期考試的日期已經迫近，於是乎猛開夜車，來個臨時抱佛腳，考期一過，強記的內容也立刻忘得一乾二淨。

如果你的學習方法是這樣，而能夠實力大增，那才是天大怪事。

這可不是「腦筋好」、「腦筋壞」的問題，而是最根本的學習方法大有問題。

第3計　行必有成的「學習五秘」

下面要說的「學習五秘」，每一個秘訣看來極為簡單，但是，做起來不見得容易，一般意志不堅的人都會半途而廢，以至功敗垂成。

只要在某個期間內，稍加忍耐，養成習慣，保證你的成績會日漸上升。

一有成績漸佳的徵象，你就等於上了軌道，往後，只要順著這個軌道而行，你將發現學習效率倍於往日，自己都會覺得其順無比。

●聽課時當場了解

學習的基本，莫過於教室中的聽課。如果對教師的講課打馬虎眼，即使接受什麼高招的應考訓練，也不可能具備真正的實力。

想要具備真正的實力，你必須在上課之前有所預習，弄清楚「聽課時該把重點放在哪裡？」「什麼地方還不太明白？」然後，胸有成竹地聽課。

在課堂中，務必採用「當場了解」的原則，一心不二用地聽課。遇到不明白的地方，務必當場發問，窮追到底，直到完全了解為止。

●趁還未忘記反覆練習

聽課時雖然當場有所領會，如果長久不復習，當時了解的事，往往隨著時日而逐漸淡忘。人的頭腦，不是機器，你想一次記牢某種知識，並不太可能。一般的情況是隨記隨忘。所以，趁還沒完全忘記之前，不斷復習，把該記牢的事情清晰地烙印在腦中，固定在腦中。復習的方法應該是：

①當天學習的事，當天就做第一次復習。
②一周之內做第二次的復習。
③一個月之內做第三次的復習。
④在定期考試之前，做最後的復習。

特別難的問題，就得視情況增加復習的次數。
只要採用這一招，再難的問題都能記得一清二楚。

●捨安逸，取漸進

「預習階段從不翻字典，只靠扼要而易懂的參考書應付過去。」
「平時解答問題，不經思考就立刻看答案，或借同學的筆記簿，照抄了事。」

「考試之前只知押題撞僥倖，其他的地方則瞄一眼了事。」

你是不是經常走這種EASY—GOING（安逸）的讀書方法？圖個安逸，是人性弱點之一，很多人犯了這個毛病。可要知道，當時圖個安逸，看似快樂、逍遙，其實，不知不覺中你的實力將逐漸下降，時日一久，你就欲振乏趣，甚至永仆不起。

讀書就像學習任何技藝一樣，如不從最基礎的地方，一步步奠定穩固的實力，只能進展到某個界限，此後就寸步難進了。

●掌握每種學科的學習要領

每個科目都有它獨特的（效率最高的）學習要領。譬如，數學的學習要領，無法套用到國文；擅長英文的人，如把那一套運用到社會科，一定感到格格不入。

一般人並不了解這個簡單的道理，所以，對任何學科都套用同樣的學習方法，難怪事倍功半，吃力無效。行之已久的讀書習慣，除非斷然拿出決心，總是無法轉變過來。你應該多方參考同學們的學習要領，以及老師、前輩的經驗談，趁這個機會徹底糾正錯誤的讀書方法。

●運用優越感使自己對讀書發生興趣

任何人多多少少都有自卑感，但是，自卑感這玩意，對能力的發揮來說是個最大的敵人，因此，你必須設法把它拋諸腦後。此敵不除，禍患無窮——你要有這樣的體認才好。

譬如，你可以在上某種課程之前，對那個課程特別下一番功夫去研究（或預習），把課程的內容掌握得比老師所講的還要翔實、詳盡，你在聽課時就會油然生起一股優越感，這就可能使你對讀書發生前所未有的興趣。

如此一來，一直潛藏不露的能力，就會逐漸給引出，使你的成績逐日大進，學習意願也隨著日見高漲。

第4計　發現成績下降的原因

學業成績並不是「埋頭苦讀」就能夠脫穎而出，最重要的還是「如何讀法？」的問題。

循著錯誤的方法，一路摸黑到底，成績當然難有起色。下面我們就談談成績下降的原因，請你反省一下是不是其中的一型。

●馬戲團型

馬戲團的大象、獅子、黑熊……等等動物，都能表演有趣的雜技，使觀衆樂得鼓掌歡呼。那些動物明星，要是不覺得渴，即使硬逼牠們喝水，一定不肯就範的。說到人類，就有比那些動物可憐的一面。

對讀書提不起一丁點興趣，四周的人偏要逼著他們：「快讀書啊！」，「做功課去吧！」他們只好不情不願地繃著臉去看書，再不就是在某種誘餌的引誘下，勉強面對桌子。

這種「自己毫無讀書興趣，卻給逼著去讀書」的人，我們稱為「馬戲團型」。

給逼著讀書的人，成績當然不會好到哪裡。

●晴雨不定型

氣象局若發布氣象預報說：「晴後雲，偶雨。」我們就知道天候多變。讀書而像忽晴、忽雲、忽雨的氣象那樣，變化多端，我們就稱它為「晴雨不定型」。

有一段時期專心一意地讀書，忽又變得懶惰到了家。拿寫日記來說，每年總是持續不了一個月就作罷。考期一到，臨渴掘井，通宵苦讀也不以為意。

喜歡的學科就猛用功，討厭的學科就把教科書一丟，翻也懶得一翻。

有這種無法始終如一，時起時伏的讀書態度，成績當然也好不到哪裡。

●破鑼破摔型

「唉呀，你就是有那種本事靜下心來讀書，說到我呀，反正沒什麼指望，有什麼好努力的？」

有些人動不動就這麼自暴自棄。以這種破鑼破摔的態度讀書，成績只有每況愈下。由於成績低落，自卑感也愈來愈烈，這就更使成績往下掉——如此惡性循環，永遠就沒有突破瓶頸的可能。

很多人更誤以為成績不佳，是自己太笨的緣故，這是毫無根由的迷信。除了千萬人中才有一個的大天才，以及遺傳上生來腦筋極其劣弱的人以外，一般學生的頭腦並沒有太大的差別。

成績之所以大有差別，問題全在讀書方法適當與否。

●一把抓型

只要有人提到哪一本書值得一看，就毫不考慮地一睹為快；戲院換了新片就絕不錯過；一下子參加三、四種社團活動；每逢音樂會必到場……。

就有這種精力旺盛，到處活躍的人，但是，怪就怪在學業成績始終不甚起色。

於是，下面的怪現象也紛紛出籠：

參加文藝活動，但是，國文成績慘不忍睹。

身為英語會話小組的召集人，英文卻考不及格……。

這就是事事參與，事事蜻蜓點水的結果。廣而不精，到處一把抓就會造成這種失敗。

請記住：要以學習為主，興趣為副，否則本末倒置，到頭來你就一事不精，萬事不通，空忙一場那又何苦？

●永不起色型

聽課的時侯只知奮筆疾書，忙著做筆記，好像做筆記遠比聽老師講課還重要；一回家，就分秒亦惜地趁晚飯前的空檔，伏案看書；每天晚上，做功課到深夜十二點，仍然遲遲不就寢……。

左鄰右舍都認為這個人的成績一定頂尖出衆，哪知，賣力如此，成績並沒有相對轉佳，你說，奇不奇怪？

這表示他讀書不得要領，也就是說，不起色的狀態，已經慢性化了，說不定他自己還懵然不覺呢。

他不曉得讀書的要訣在於：「以最短的時間求得最高的效率」。光是賣力，是不管用的呀！

●等一會型

做什麽事都不及時而行，總是說一聲：「等一會再說」，如此一拖再拖，始終不付諸行動。

如果栽培花草也搬出這一招，豈不糟糕透頂？在必須澆水的時候，也來個「等一會再說」。原是活生生的花草豈非枯萎而死？枯萎的花草，事後即使猛澆水，也無濟於事的。

這一型的人，對讀書從來沒有什麼計劃，不斷重複這種「挽救無方」的錯失，久而久之，就反映到成績上——一落千丈，欲振無力。

第5計　把握「效率三要」

「聽那位老師講課，我就想打盹。」

「就是說嘛，唉…怎不談些有趣的事讓我們精神一振呢？真是的。」

「別作夢了。他才沒有那種本事呀！」

你是不是曾經聽過這一類牢騷？

要知道，老師講課的目的，絕不只是讓你聽來有趣，看來有趣的。真正的樂趣，是指對講課的內容完全了解，打心底感到「原來是這麼一回事，我懂了！」從這種欣喜中產生的共鳴和感動而言。

聽課而想獲得這樣的樂趣和效果，怎麼辦？

●預　習

你不妨把沒有聽過，也沒有看過的一篇小說，突然從中間看下去，試試會有怎樣的感受？

小說通常是情節分明，作者也有意寫得讓讀者看來興致大起。

可是，當你在毫無預備知識的狀態下，斷章而讀，你會不知所云，有如墜入五里霧中。以此推論，內容比小說困難多多的課程，在毫不預習的狀態下，來個「突然而聽」，卻妄想一聽而大悟，豈非奢談？

預習如果只知抄寫參考書，或向家庭教師討教，那就不算是真正的預習，只能說是為預防給老師指名時能夠回答而已。這種預習充其量只是應付一時的手段，毫無價值可言。真正的預習應該做到：

(1)把課本看過之後，在自己做得到的範圍內，將有關內的資料，事先就查個一清二楚（在這個階段，使用辭典、參考書）。

(2)遇到不清楚的地方就做個記號（聽課時特別用心聽這些不清楚的地方）

好多人以為預習只是指(1)而言，這是一大錯誤，你千萬別忘了(2)的預習作業。

●聽　課

有一位老師曾經說：

「當我覺得今天的課講得無比順暢，學生卻不怎麼記得講課的內容。倒是不時停頓，講得結結巴巴，驢唇不對馬嘴的時候，學生由於聽來不清不楚，給逼得非思考不可，在這種情況下，他們反而有了心得呢。」

這就是說，上課的時候如果從頭到尾都是老師本位，學生只是被動地傾聽，學習效果就很差。聽課的時候，學生必須不時興起「為什麼？」「怎麼是這個樣子？」之類積極存疑的念頭，那一堂課，聽來才有心得。

前面說過，在預習的階段，先對課本的內容有所思考，想不出答案的地方就做個記號，上課之前就抱著：「老師如何解釋這一段呢？」這種期待，你對老師的講課就有莫大的興趣，恨不得上課的時間快快到來。

要是老師說明之後，仍然不太清楚，你得立刻發問。如果獨自發問覺得難為情，可以在下課之後，跟同學一起去找老師，提出疑難，問個一清二楚。

如此這般，養成「當天的疑問當天就解決」的習慣，你就不覺得「上課真無聊」了。要知道，「上課真無聊」是「聽不懂」才有的現象，把疑問消除，上課時你就不覺得無聊透頂了。

●復　習

下面提到的方法，只要你按日實行，考前根本不必再費腦筋去辛苦準備。

也許，你會反問：「有這回事？那不是太好了嗎？」

不錯，這才是效果宏彰的讀書要訣，只知考前做囫圇吞的背誦，考完就像做了大掃除，把一切都忘得一乾二淨，那種愚蠢透頂的讀書方法，還是早早放棄的好。

(1)在放學回家的途中也好，搭公車的時候也好，回家後吃晚飯之前也好，循著上課時候的記憶，把當天學習的主要內容背出來。

（主要內容並不多，所以，實行起來絕不難。當天學習的單字，也趁這個時候把它背得滾瓜爛熟。）

(2)練習跟當天學習的內容有關的各種應用問題。

（最好身邊有一本解說詳盡的「問題集」。）

(3)利用周末和星期天，把一周內學習的各種內容的要點，做一次總復習，並且把它背下來。又，也要練習重要問題，做到不看解說也能順利解答為止。

(4)偶而復習以前學習過的內容，把忘掉的部份重加背誦（忘了某些內容，是挺自然的現象，不必太掛心。只要背念的次數比忘記的次數多，日子一久。想忘記都忘記不了，不信你就試試）。

也許，有人會說：「這麼一來，考試前幾天不就沒事可做了？」

是的，這才是最理想的讀書方法。考試前夕，頂多從頭做一次重點式的總復習，然後早早睡覺。做到這個地步，你的成績就只升不降了。

有關學習的技巧，不會有人特地教你。你自己就是教練。自己擬定計劃，自己向自己發號施令。就是這麼一回事。

你不妨對過去的讀書方法——尤其是預習、聽課、復習的方法，做個檢討，反省一下「哪些地方應該改進？」然後，一步步養成有效讀書的習慣。

在還沒養成這些習慣的頭一週，你一定覺得辛苦異常，可是，挨過一週之後就適應了，到時候你就覺得事事順妥，毫不以為苦，成績也會逐日進步的。

第6計　把教科書當做最好的參考書

●自習之樂

一般人對教科書（課本）有一種先入為主的偏見，那就是，把它當做：

(1)教師強迫學生去看的東西（學生就不情願的心理下不得不遵令而行）。

(2)考試的時候看了就頭大的東西。

你何不對視為畏途的課本，來個觀念上的改變，將它當做「自習時候的最佳工具」。

也就是說，在老師還沒講到那些內容之前，自己就對課本的內容提前做個自習（永遠搶在教師講課之前去做）。這件事，做來不難，只要有決心，人人可以做到。

這麼一來，你會對課本產生類似珍惜自己的腳踏車、溜冰鞋那種感情。

不僅此也，由於搶先踏入別人還沒研究過的內容，而且靠自力逐日挺進，這就讓你興起類似優越感的情緒，使你對自習的內容發生莫大的樂趣。

一般教科書（課本）都編得井然有條，它把你該知道的知識由易而難，由簡而繁，做了有系統的布署，所以，拿它做為自習的工具，實在是再好不過。

●對準心裡的刻度盤

各位要聽電臺節目時，用什麼方法去選擇自己想聽的節目？最正確的方法，是先看報紙上的電臺節目表，知道了「幾點開始有哪些節目」之後，適時把刻度盤對在那裡，你就如願以償了。

同理，上課時也得把你心裡的刻度盤，對準教師的講課內容，否則，重要的講課內容，勢必左耳進，右耳出，等於白聽一場。

聽課用的「節目表」究竟是什麼？它就是課本。

各位在聽課之前，就得先看過課本，把一看即懂和屢看仍然不懂的部份，做個分別，然後在你覺得「這一部份必須格外用心去聽」的地方，做個記號。

所謂的預習，就是指把心裡的刻度盤這樣對準內容要點的準備作業而言。

●均勻分布的要點

課本跟其他的書截然不同的地方就在：「把內容的要點（關鍵）有計劃地平均散布」。

每一本教科書，都由專家事先就定好「從這本教科書必須學到哪些知識」的標準。

如果把「必須學到的知識」集中在某一個地方，就發揮不了教科書的作用，所以，為了使學生按步就班地學習，事先就定好程度和順序，把各種要點平均分散在第一章到最後一章的內容裡。

通常，教科書上的每一章，都包括了幾個重要事項，如果你學到及早發現那些重要事項的要訣，教科書就成為學習上大有助益的利器。

我們甚至可以說，只要有辦法活用教科書，學習那個學科時必能立於不敗之地。

●別小看「裝飾品」

教科書上的圖、表、附錄、索引等，常被當做無用的「裝飾品」，引不起重視，這是令人想不透的怪事。

譬如，在教科書上到處可見的圖或表，由於一翻就映入眼裡，照說，烙印在腦裡，經久不忘，何況由這些圖、表演化出來的說明，更有助於綜合性的記憶，對學習的人來說，處處稱便，可真是功德無量。

想想，教科書若是從頭到尾都是文字，哪地方有哪些內容，不是很難回憶嗎？

又，索引這個東西，對知識的整理極有助益。我們可以肯定，索引裡出現的絕對是教科書上最重要的知識，如果懂得根據索引做卡片，把那些知識做一番整理，就可以輕輕鬆鬆消化整個重要內容。

●套上表紙的心意

不少人給教科書套上表紙，珍惜如寶，這種心意和作風值得稱揚。

有些中學生卻反其道而行。

譬如，在教科書的書皮上，興之所至，胡亂塗寫，弄得污黑黑不堪入目，甚至撕掉書皮，只剩內文而毫不在意。

這些人，可能是故意用這種態度，表示對教科書不屑一顧。

可要知道，準備考大學或高中，如果只讀教科書以外的參考書，對教科書則嗤之以鼻，看都不看一眼，這樣的人，八成都會名落孫山。

因為，任他們精讀怎樣的參考書，絕對得不到教科書才有的紮實的知識。輕視這種具有「脊椎骨」（backbone）作用的教科書，到頭來倒楣的還是自己。

從這個意義上說，為教科書套上表紙，那種善加珍惜的心意，等於對那個學科紮實的知識表示尊重，實在值得特記一筆。我希望每個同學都能養成這種好習慣。

第7計　讓筆記簿發揮辭典的作用

前面提到教科書的重要性，但是，可別誤以為：「只要把教科書讀熟就天不怕，地不怕。」教科書的確有知識的基本骨架那種作用，但是，若要在骨架上添血、加肉，那就非借重筆記簿不可。

當然，在筆記簿上重新抄錄教科書已有的內容，無異多此一舉，犯不著如此耗力耗時。筆記內容如果連自己都不曉得把哪些事寫在哪裡，如此雜亂無章，更是要不得。筆記簿務必發揮「超級辭典」的作用，將你必須知道的基礎性知識和應用項目，有條不紊地整理成册。

●把老師的話全都能記下來？

有一位老師曾經說過：「這年頭的學生，對做筆記可真是全力以赴。他們之中就有把老師說的笑說照記不誤的。」

把老師的每一句話，悉數抄錄，做筆記如此巨細靡遺，是不是有什麽效果？

拿極端的例子來說，假設把老師講課的內容，一句不漏地記錄，事後若要復習，你就非花上跟聽課一樣的時間不可，這不是太沒有效率了？

這種人就跟議會的速記員一般無二，等於為做筆記而筆記，實在毫無意義。做筆記可不是愈詳細愈佳，而是用心聽課，把了解透澈的內容，以自己的語句重新寫出來，那才有價值。

所以，筆記的內容必須簡明扼要，做到只需瞄一眼就知那一堂課的內容大要。大可不必有一句記一句。為了列出這樣的大要，你得花點腦筋做一番整理。

●百貨公司型的經營法

話說回來，要使筆記簿發揮「超級辭典」的作用，光是把老師的話做一番整理（列出重點）是不夠的。因為，這種程度的方法，人人都在做，沒什麼稀奇可言。

我要介紹的是，就像百貨公司賣的貨品必須一應俱全那樣，有關的問題無不有所添記的綜合式筆記法。譬如，拿自然科來說，它必須包括：

①預習的時候查出來的疑問。

②老師講課的重點。

③參考書列出的資料。

④從報紙上找來的剪貼資料。

⑤例題、練習問題、自己容易犯錯的地方、同學的另一種解答法等等。

把上面這些內容全都整理在一本筆記簿內，它才能發揮「超級辭典」的作用。

又，一般人的英文筆記簿，總是跟單字簿分開，如要筆記簿發揮「超級字典」的作用，得把單字也放進同一本筆記簿內。

因為，單字必須跟文章相連，才能活用。順便一提的是，背單字若使用單字簿，效果奇差，只有使用單字卡才能收到事半功倍之效。

●要有編輯技巧

所謂綜合性的筆記簿，如果毫無取捨，有什麼就記什麼，你就無法做有效的學習，所以，筆記的編輯技巧就成為不能掉以輕心的事。

下面列出幾個編輯技巧，你也不妨動動腦筋，想出更好的技巧來。

(1)使用二分法。把筆記分成偶數頁、奇數頁，或是左、右兩邊。如此分割成兩種區域，一邊專記自己調查過的資料、注意事項、剪貼、標準解答等等；另一邊則專記老師講課的內容、練習問題等等。

(2)儘量把一個項目容納在同一頁。如果跨頁記載，考前要復習就顯得不方便，也不容易記憶。

(3)筆記簿並不是用文字來表現，要儘量把有關的地圖、圖解、比較表等納入，使之一目瞭然。文章也設法使之簡潔，切莫廢話連篇。

●做目錄、索引

筆記簿也做目錄和索引，也許，有些人會覺得好笑，但是，如想好好應用這種綜合性的筆記簿，實有必要做目錄和索引。筆記簿上的每一頁都要編頁碼，頭兩三頁要空下來，以便做目錄（目錄要寫出主要項目）。

索引可以分成幾大項，譬如，「重要文句集」、「應背事項一覽表」、「項目別年表」之類，隨著學科的不同，擬出不同的項目，整理在最後幾頁。如果出現新事項就立刻添進去。

要是筆記簿已經寫滿，就另用紙張寫下目錄和索引，折疊後貼上。這樣編成的目錄和索引，在準備考試的時侯一定大有用處。

●選購筆記簿不妨多花錢

學生時代辛苦編寫的筆記簿，不只是考前的得力助手也可以成為終生伴隨的「知識之友」。有些人甚至說，踏入社會之後，翻看學生時代的筆記簿，往往比閱讀新書還管用，這可是經驗之談了。

這麼說，為了長期保存，筆記簿應該儘量選購紙質上等，而且開數較大的。買的時侯也許覺得有些奢侈，但是，從長遠的眼光來看，一定很划算的。

選購好的筆記簿，你編寫時一定精神大振，保存起來也格外小心。

又，與其以薄薄的幾本筆記簿分開來記載，不如用厚厚的一本來整理，往後利用時也方便得多。

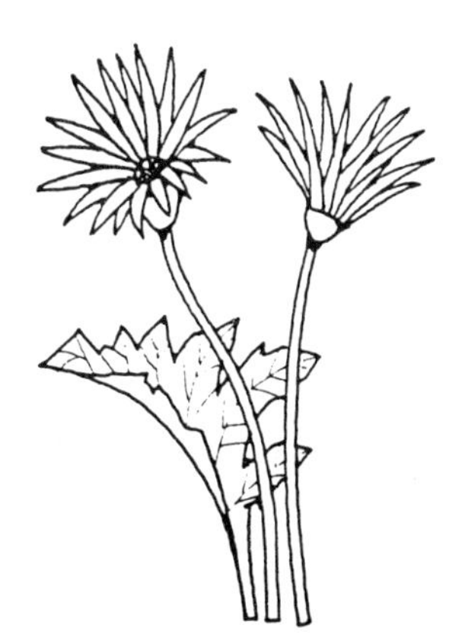

第8計　疑問要速戰速決

●不喝水的馬？

馬是柔順、聰明的動物，只要善加調教，就能夠聽從命令，隨主人之意而行動。這麼馴順的馬，如果牠不覺得渴，硬拉牠去喝水，牠卻頑強抗命，不喝就是不喝。我們吸收知識也跟這個道理一樣，當你對某一件事興不起什麼疑問，就算有意強記，偏是不易辦到。人類有大腦，所以，只要再三強記，到頭來還是可以記住，但是，這種給逼著強記的知識，不多久就忘得一乾二淨，絲毫發生不了效用。

各位在聽課的時候，是不是疑問泉湧？你若發生不了任何疑問，只知默然聽課，有人笑你「簡直就是不渴的馬」，不是欲駁無詞了？

向絕少發問的人詢以：「為什麼不發問？」

絕大部份的人總是答說：「我不曉得該問些什麼。」

這種連問些什麼都不懂的人，不管上什麼課，對老師的講課一定是不知所云，只能迷迷糊糊中打發那一堂課。

發問並沒有好壞之別。剛學發問的時候，不必拘泥於「應該問得漂亮」，你大可從小小的疑問問起。只要養成發問的習慣，時日一久，你就覺得該問的事實在很多，而問得愈多，你的學習意願就愈見高漲。

自以為懂的事，如果略有存疑的念頭，你將發現自己不了解的事，著實不少。你也不妨跟同學開個「疑問交換會」，如此一來，你更會發現一知半解的事，多得超乎想像。

●善用紅筆、藍筆

不是有一種一邊是紅，另一邊是藍的色筆嗎?利用那種色筆「搜尋疑問」，對你的課業勢必大有助益。

譬如，看教科書的時候，遇到你認為很重要的地方，就用紅筆劃線，遇到不怎麼了解的地方，就用藍筆劃線(也可以用一般的黑色鉛筆來代替)。

劃了疑問線的地方，就要找機會向老師、同學討教，或查看參考書，務必做到掃除疑念為止。如此一來，你對某些知識的整理，才算完整無缺。

他如，上課中或上、下學途中忽然想到的疑問，都要立刻掏出備忘小册，趁還沒忘記時將它記下，然後設法早早解決它。

疑問在剛想到的時候可真是新鮮無比，如果存放過久，就像洩了氣的汽球，魅力盡失，發生不了什麼作用的——請莫忘了這個事實。

●疑問有一對兄弟

疑問有兩種類型。

(1)觸及學習要點的疑問。譬如，對某一條公式的演變不盡了解，因而起了「從那個公式怎樣變成這個公式？」的疑問。

這一類問題，只要問出理由就謎團盡解，所以，學習效率也隨著大增。

(2)迷宮似的疑問。譬如，「往天空一直上升，會碰到什麼？如果繼續不斷地上升，還會碰到什麼？最後會碰到的又是什麼？」——這叫做無窮盡探求型。

又：「是先有雞，還是先有蛋？」——這叫做歪理型。

又如：「人，為什麼而活？」——這叫做哲學型。

這些疑問，都屬於無法立刻解決的類型，如果一直為它耿耿於心，將使你的學習效率只降不升，所以，事關疑問，合該發掘、培養不跟學習的主流脫離太甚的問題，才不至於愈來愈迷亂，終至一無所獲。

前面也提過，一有疑難就要儘快向老師發問，儘快解決。

有些人在發生疑問之後，總是憋在心裡，說什麼：

「問老師？唉，那有多難為情？」

「算了，我才沒有那種膽子呢。」

膽怯如此，懦弱如此，你的未來將是一片昏黑，企盼實力大增，成績趨佳，將是休想，休想。很多經驗豐富的老師都說，經常發問的人，應用能力總是超人一等。這些人，平時看似領悟得慢，但是，在實力測驗或模擬考試的時候，就會發揮出驚人的潛能，拿到拔尖的成績。

反過來說，那些平時不斷點頭，似什麼都懂的人，一碰到應用問題，就發了傻、瞪了眼，考不出好成績來。發問絕不可恥。你不妨壯著膽子，衝進老師的辦公室，直接向老師請教，這才是把你的疑問化為烏有的最佳辦法。

發問固然是好事一樁，可別問得太細微，把老師獨佔，礙到老師講課的時間，也影響了同學們的學習。向老師發問，應該只限於「實在想不透」的問題。其他的小問題，大可在上課之前跟同學們多方討論。

「向同學討教」的好處，在於彼此教人和被教之時，對那個問題更多了一層體認，這就是所謂的「教學相長」，應該多方運用。又，上課的時候，你該用心傾聽其他同學的發問，自己也同時思考那個問題。因為，某個單元的關鍵性疑問，大致相同，趁別人發問時，如果自己也用心思考、靜聽，必然大有斬獲。

第9計　多寫幾次就能記牢

練習游泳的時候，起初，得先在陸地上學習如何用手，如何動腳，但是，要使身體浮在水上，到頭來總得進入水裡，試著游泳，否則永遠學不到游泳的竅門。

同理，我們若要「記憶某種知識」，光是把那個知識往腦裡猛灌，絕不管用，應該動手去寫，靠「寫」的過程，使那項知識烙印腦中，成為真正了解透澈，又記得牢的知識。

例如，有人為了應付數學的考試，只知猛看解答的方法，想靠「看」的過程把它記牢，而不屑拿筆解答。

這種方法，如果套到學習游泳，將是怎樣一種情況？我想，由於在水中無所作為，不沒頂而大事掙扎，那才是怪事。

總而言之，要記牢某種知識，邊寫邊記憶才是確實可靠，行之有效的方法。

有時候，腦裡一片空白，怎麼也想不起來的事，如果以前邊寫邊記過，只要拿筆一寫，往往自然而然就從筆端出現一些眉目，使你順利引出整個答案來。你說，這不是很妙的事嗎？我相信有過這種經驗的人，一定不在少數。

●寫三次才放心

記英文單字的時候，千萬別把那個單字只寫一次，就認為大功告成。

用手寫一個字，看似容易，如果往深一層去分析，過程是相當複雜的。

先是以眼觀事，或以耳聽事，這些看到、聽到的事就給記錄在大腦中某個部份，然後，從那裡發出信號，傳到指揮手臂的司令部，再由那個司令部把命令傳到手端——經過這一連串的傳送，手才會寫出字來。由此可知，寫的動作，至少也得重複三次，藉此試試身體各部份的作用，是否配合自如，操縱自如。

「寫」的動作，並不是手的作用使然，而是大腦的作用使然。大腦這玩意是愈加訓練就愈能發揮作用，所以，平時自認為「我的記憶力差勁透了」的人，可別輕易看不開，不妨從現在開始，徹底養成「多寫幾次」的習慣，你將發現自己的記憶力比以前大有進步，而大吃一驚的。

「要記牢就得靠寫為主」，話是這麼說，世上就有不少懶得握筆的人。

不錯，臨時想到要寫什麼，得先找出小册子和鉛筆，當然覺得諸事不便，因而提不起勁兒來。要是身邊經常放著小册子和鉛筆，情況就大可改觀。此話怎說？請聽我慢慢道來。例如，將小册子和鉛筆經常放在書桌、擱板、餐桌、書包之類幾個固定的地方，就可以免去尋找之苦，而由於伸手可及，你就不至於懶得去使用它們。當你忽然想到要整理或記憶某些知識，可以就近拿到小冊子和鉛筆，這麼一來，「邊寫邊記」的工作，做來就不那麼煩人了。

「靠寫來記憶」的作業，只重視「寫」，跟字寫得漂不漂亮毫無關聯。小冊子不必使用紙質上等的，只要能寫即可。譬如，集些正面印了宣傳字句，背面空白的紙，裁成適當的大小，訂成一册就可以派上用場。

目的是能寫得快，所以，鉛筆就選用B到2B的，使用鋼筆當然也可以。

●看著寫，背著寫

俗話說得好：「讀十次不如寫一次。」古時候的人很相信「靠寫來記憶」的那一套方法，所以，經常採用「抄書幫助記憶」的讀書方法。

「寫」是記憶方法之一，它的第一個階段就是「看著寫」。光是「看」往往不足以捕捉要點，「看著寫」就可以捕捉到未曾注意的細節，就有了將模糊的記憶跟正確的事實相互比較的機會。

第二個階段就要試試「背著寫」。為了「背著寫」，你就勢必對必須記憶的事，有個徹底的了解。因此，當你無法「背著寫」，就得回到第一個階段，把必須記憶的事重新背好，再進入第二個階段。

如此反覆不停，再困難的知識也能夠確實記牢。

你如果不斷重複這種練習，任何艱難的知識，都可以記得清清楚楚，方法愈熟練，做起來也愈起勁，絲毫不以為苦。

●準備要點筆記簿、閱讀筆記簿

背誦英文的時候，可以採用抄寫全文然後背著寫的方法，但是，學習其他學科的時候，就有必要記憶重點，所以，少不了輔助性的筆記簿。

這種寫在輔助性筆記簿的知識，為了看後都能容易記在腦中，務必整理得簡明扼要，便於記牢。

譬如，把筆記簿上的編幅善為分割，將重要事項寫得一眼就可以看出。

又如，與其用文字寫得雜亂無序，不如多用圖、表、記號、地圖之類顯眼、瞭然的東西。閱讀的時候，若把要點記錄在閱讀筆記簿上，你就隨時可以掌握那本書內容，可真是方便異常。

不斷做閱讀筆記，時日一久，熟能成巧，往往把一本厚書的內容，僅僅花用十幾頁就可以整理在筆記簿上，如此一來，你的閱讀能力就更見精進了。

第10計　利用三種小道具專心讀書

加拿大蒙特利爾大學教授——塞利埃博士，是提倡「汎適應症候群（STRESS）學說」而揚名世界的學者。

他的身邊經常備有三種用具，那就是：

(1)用橡膠和塑膠做的耳塞。

(2)矇眼用的黑色眼罩。

(3)小型錄音機。

塞利埃博士為什麼愛用這種奇妙的東西？

說明這件事之前，必須先解釋什麼叫做「汎適應症候群學說」。它對我們的學習生活究竟有什麼關聯？

簡單地說，如果在生物的身體，從外界給以種種刺激（這叫做脅強式刺激），就產生「頭痛」、「心情不適」之類的狀態（這叫做壓力反應）。

要是常久處在這種壓力狀態下，而且勉為支撐，不但讀書效率一落千丈，還會造成種種病因。

產生壓力反應的原因，不一而足。譬如，焦慮攻心、辛勞無比、噪音太多、百務纏身……等等，它們就會在我們四周造成無數的漩渦。

塞利埃博士為了跟這些擾人的東西隔絕，以便不受脅強式刺激之害，睡覺時就使用耳塞，思考時就用黑色眼罩矇住雙眼——使自己眼不見雜物，心無雜念。

又，忙碌中為了提高研究效率，把有其必要的話全都錄進錄音機，省去很多交談的時間。

塞利埃博士強調：

「人，在工作時要在規定的時間內，全力以赴，事後就要轉變氣氛——例如，忘記工作，聽聽音樂，藉此調劑身心。」

這個「汎適應症候群學說」，是根據醫學上的研究結果而來，但是，對我們的讀書卻提供了「如何調整學習環境」的珍貴資料。

第11計　要有效率大進的功課房

說到艮好的學習環境，能夠主權在握，又可以隨時做到的，當推「如何把功課房（書房）調整得有助於效率大進」。這兒說的功課房，並不是單指某種特別獨立的專用式功課房，你就想成平時在家做功課的地方就對了。

功課房儘其可能設在安靜而進出人不多的地方，這只是一個理想，很多家庭要找出這樣的地方，八成無法如願，只好退一步，靠自己的腦筋去創造艮好的條件。

例如，隨著季節的變化，改變桌子或書架的位置，或是利用布簾把房間割開，使自己能夠專心看書。

面向桌子時可以是坐蓆子，也可以是坐椅子，但要注意到高度適中，否則，姿勢不適就有礙健康，長時間做功課那就讓人受不了。

要知道，做功課而感到疲累不堪，往往不是為了長時間用腦，而是姿勢欠佳，才感到疲勞襲人。

為了消除不適的感覺，腳下可以放一堆舊雜誌或小凳子，椅子上也放個坐墊什麽的，這麽一來，坐姿正確，坐得舒適，就不至於很快就疲勞不堪。

又，人人知道但不易做到的事，例如，把房間保持乾淨，室內整理得有條不紊之類，也要特別注意。

桌子上應該只放著當時讀書非有不可的東西。功課房的清潔工作，每天務必親自做好。

桌子上放個花瓶，插上適合時令的花或小號觀葉植物，這樣稍動腦筋都會給室內帶來氣象一新，心朗氣爽效果，對讀書效率的增進，必定大有幫助。

第12計　驅除噪音

住在都市的人，讀書的時候最感到頭痛的，是雜音、噪音紛至沓來的刺激。有一位老師曾經說過，在安靜的房間為學生的考卷評分，一小時可以看三十份，如果在面對街道，噪音干擾的房間做同樣的工作，只能看十份，而且還感到身心俱疲。

由這個例子，可知聲音對使用腦力的工作，有不能忽視的影響。如果我們經常處身於噪音中，習慣之後，似乎不以為意，其實，在那種環境待得過久就容易疲勞，精神也不易集中，心情也常常焦慮不安。這麼一來，讀書的效率也難見提高。

聲音的來源，種類頗多，我們又無法消除那些「聲源」，這是很令人懊惱的事，說來說去，我們只能採取消極的方策。

譬如，設法防止那些聲音傳進耳膜，或是擬個趁噪音還弱、消失之時才讀書的特別計劃。

隔音建材的製造技術，日進千里，要防止噪音只需花一筆錢就可以有萬全的隔音設備，但是，一般人的功課房不太可能如此大動手腳，所以，只好把靠近聲源的窗戶關掉，或是選個比較安靜的地方擺放桌子。

利用前面說過的塞利埃博士三種讀書用具之一的耳塞，把耳朵塞住，也不失為隔音的妙法，大家不妨試一試。

又，晚上九時以後，或是清晨時分，四周就寂靜得多，配合這種環境，在噪音多的時間，睡午覺或休息，趁四周寂靜的時候才讀書——擬定這樣的計劃，也是可行之策。不過，這時候就要注意到一個原則——至少要睡足七、八小時。

家裡經常有雜聲，實在無法專心做功課的人，不妨跟老師打個商量，借教室或圖書館讀書。

不少學生在課後、星期天、假期，組織讀書會，利用教室或圖書館做功課。據說，他們的成績因而顯著進步，大家不妨學學他們的作法。

第13計　了解適合讀書的溫度、濕度

據專家的研究，使腦筋保持清爽，讀書效率也高的氣溫是攝氏十八度（包括室內、室外），濕度大約是六十％。

如果氣溫比這種標準還高，但是濕度若低，還是會感到神清氣爽。

例如，氣溫是攝氏二十一度，濕度是四十％，這種狀態下仍然是適合讀書；如果氣溫同樣是攝氏二十一度，濕度卻高達七十％，這就令人感到悶熱，當然不是讀書理想的狀態了。

要保持腦筋清爽，光是氣溫和濕度適合是不夠的，還得看看室內空氣的流動情況，以及周圍給這個房間的幅射熱到底有多大。

也就是說，我們功課房內的空氣，雖然不直接感覺到，卻必須有不斷移動的氣流。

長時間在密不通風的室內讀書，或是在窄小的房間擠了一大堆人，腦袋就變得昏昏沉沉——這都是室內空氣不流通（通風不佳）的緣故。

一到夏天，強烈的陽光會從對面的屋頂或地面，反射到功課房，往往照射得令人氣悶心躁，所以，務必以窗簾、竹簾，或樹蔭等來遮住太陽的幅射熱。

夏天又是氣溫、濕度俱高的季節，這是最不適合讀書的時候，我們難望每個家庭的功課房都有理想的冷氣設備，但至少要設法使室內保持通風甚佳的狀態，或者是酷熱的白天，避不讀書，儘量在清晨、黃昏的涼爽時刻，把握時間，活用到最大限度，那才是聰明一等的方法。

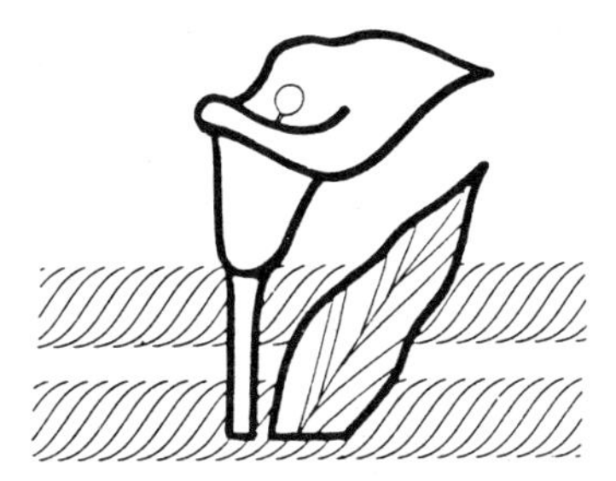

第14計　要有不傷眼睛的照明條件

白天讀書的時候，室內的採光大致不會有什麼問題，一到晚上，照明條件的好壞就跟讀書的效率大有關係了。

例如，熱度不足，眼睛很快就感到疲勞。眼睛一感到疲勞，睡意就來襲，再不就是渾身感到倦怠，勁意全失。

功課房的照度，當以一百五十勒克司（Lux，照明的計算單位，記號是Lx）為宜。這大約是六十瓦特燈泡直射之下，離燈泡約五十公分距離的桌面所產生的亮度。

亮度要足夠當然沒錯，可要注意別使光源太炫耀，否則，眼睛還是容易疲勞，所以，必須有燈罩使燈光不至於太耀眼。

又，只讓燈光集中在桌上的某個部位，其他地方一片暗淡，則抬眼看四周之後，眼球本身就得屢做視覺調整，也容易促使眼睛疲勞。要防止這個毛病，得設法使光源照射到的面積，儘量擴散（使用日光燈就可以達到這個目的），或者把電燈設在天花板和桌上兩處地方。

拿一般的電燈和日光燈來比較，從各種效用上說，日光燈的照明條件似乎比電燈，更適合讀書。

有一陣子，謠說日光燈會發出紫外線，對眼睛有所傷害，如今，已經證實有損眼睛的紫外線，給外面那一層玻璃擋住，無法直接射出來，所以，大可安心使用。只要不讓光線直接射到眼睛，日光燈可說是讀書最理想的照明用具了。

第15計　聽懸河型老師的課要事先逮住重點

——聽課秘訣之一

口若懸河型是老師們講課中最常見的一種。這一型的老師還可以細分為兩派。

(1)教科書派：內容以教科書為主，講起課來滔滔不絕的老師。

(2)筆記派：以自己的筆記內容為主（跟教科書的內容稍微不同），講起課來口若懸河的老師。

前者講課的內容，只要翻看教科書就一目瞭然，所以，學生們常常批評說：「那位老師呀，就懂得照教科書講話，看來沒什麼實力呢。」

也許是這個緣故，學生們對這種老師的課就不那麼熱衷，所以，往往對教科書上記載的基本事項，也掉以輕心，把該注意的起碼知識也輕易放過。

後者講課的內容，由於在教科書上看不到，大夥忙著逐句筆記，唯恐有所遺漏，教室裡就聽不到學生的一丁點聲音。也許，太忙於做筆記的關係，雖然對每個細節絕少遺漏，卻難以掌握重點。因此，我們有必要考慮如何應付這種口若懸河型老師的講課，使自己的學習效果不至於太走下坡。

照教科書的內容滔滔而說，由於極其單調，聽的人無法分辨「何處很重要」，

「何處是附帶的內容」，如果迷迷糊糊地聽著，你就索然無趣，甚至打起瞌睡來。

為了防止這種現象，事先你得下一番功夫好好預習（至少要把下面的問題弄清楚）：

(1)這一堂課將學習的內容是什麼？

(2)這一課的重要內容是什麼？

有了這些準備知識，即使遇到口若懸河型的老師，任他說得天昏地黑，你還是聽得出哪些地方重要，哪些地方不重要。

你只要把重要的內容記在筆記簿上，做到「一看筆記馬上知道重點，那麼，考試前就不必枉費時間，也可收事半功倍的效果。

又，遇到「筆記派」老師，如不把內容逐句記錄，似乎令人感到不安，其實，你可以選購跟老師講的內容相近的參考書，在上課之前好好預習，聽課時只需筆記參考書上沒有的內容。參考書上有的，你就在上面劃線為記。

這麼一來，上課時候你思考的時間就大大增加，學習效率也會大為提高。

問題是在，市面上有沒有這麼恰到好處的參考書？

解決這個困難倒有一個秘訣，那就是，你大可壯著膽，直接這樣問老師：「哪裡買得到跟老師的講課方式相輔相成的參考書？請老師介紹一下好不好？」

第16計　聽脫軌型老師的課要先詳讀課本

——聽課秘訣之二

脫軌型的老師，講起課來總是扯得遠離本題，聽來倒像是在漫談或說相聲那樣，令人興致盎然。

聽這種課，你絕不會感到無聊，更不會打瞌睡，可是，只知跟大夥哄笑，事後你就腦中一片空白，沒留下什麼，但覺沒獲什麼紮實的知識而茫然。

於是，臨到考試你會發現問題似乎出得特別難（無從下筆），那時候，你的心情就不像當時聽課那麼愉快了，有些人甚至覺得給老師欺騙，不由怒火三丈呢。

之所以如此，是你自己輕易給老師的調調捲進的緣故，應付之道，在於養成「搶先詳讀課本」的習慣。好在，這種老師的課聽來趣味橫溢，你就利用這一點，始終搶在面前，詳查各種有關的資料。

事先做好「重要事項一覽表」之類的東西，邊看邊聽課，那麼，任老師扯得有多遠，你始終腦筋清醒，知道自己「目前留在哪裡」，這就不至於給老師的調調捲進，而不知「身在何處」了。

如此養成「先靠自力研究」的習慣，由於重點在握，對課本的內容也有全盤的了解，於是，老師的話聽來不只是言詞詼諧，逗人大笑，更會一變為頗具知識水準（高層次）的內容。

有了這種現象，你對那個學科勢必興趣更增，它就有可能成為你最擅長的學科了。

第17計 聽飛彈型老師的課要轉守為攻

——聽課秘訣之三

真正的飛彈，是在火箭上載了炸彈，咻地一聲飛到頭上轟然炸開的玩意，是一種殺傷力極為嚇人的兵器。這兒所謂的「飛彈型」老師，是說上一小時的課當中，學生一定逃不過「給指名回答問題」那一道關卡。

有些老師是順著出席簿上的次序，來個地毯式攻擊；有些老師是採用「狙擊式」，讓你防不勝防，挨過提心吊膽的一小時。

當你給「炸到」，如果無法應答如流，有些老師就當場大發雷霆，有些老師就把你的姓名記在「黑名單」上，這就可能影響你的成績。

從聽課的人來說，這一型的老師最不受歡迎，要是從「奠定實力」的角度來說，再沒有比這更有效果的了。

不只是學校的課，諸如練習芭蕾舞、練習打算盤……，事關技藝的學習，「給指名」幾乎成為無法逃避的事。不，我們甚至可以說，「給指名」是天經地義的現象。我們也不能不承認，愈給點到，實力就愈增。

只要下功夫去預習，「給指名」不但不會成為厭煩、痛苦的事，毋寧是說，還會產生「如果指到我該有多好」的期待。

為什麽害怕給指到?原因無他，太懶於預習，對自己太沒有信心了。我曾經看過「相撲(角力)」訓練的新聞。力士們圍在角力場四周，等著機會上場較量。

上場練習的兩個人，一人落敗，在四周等著的力士就搶先上場，跟獲勝的人較量。

照規定，誰先跳上去就由誰跟獲勝者較量。要是站著不動，永遠輪不到自己上場。這麽一來就練習不足，練習不足就休想在這個世界出人頭地，說來真是嚴酷到了家。

教室就像角力場，不同的是老師有意把練習的機會平等地分給每個學生。

怪就怪在，學生不但不感激，還拼命逃奔，唯恐給老師「逮到」。你說，在這種情況下，怎能產生出類拔萃的人才?

與其動腦筋逃避，不如壯膽子，抱著「錯了又何妨?」的精神，自動舉手回答。我敢保證，不久之後，你的實力必然逐日大進。

又，老師指到別人的時侯，可別吁一口氣(心裏大為慶幸)，你該當做自己給指到，也在腦裏同時思考那個問題，回答那個問題，這麽一來，你的學習效率就二倍增、三倍增，遠遠趕過其他同學了。

第18計　聽唸佛型老師的課要多發問

——聽課秘訣之四

「那位老師的課，我就是聽不懂。」

之所以發生這個現象，從學生這方面來說，可能是老師的課說得艱澀難解。從老師那方面來說，他們可能嘆聲連連：

「唉，我使出渾身解數，那麼賣力地講課，那些學生呀，就像對馬念佛，聽不出一個所以然來。」

拿我們當馬？真是的——你先別這樣發怒，老師不也把自己比喻為「唸佛」嗎？真個彼此彼此呀。這種現象之發生，在新學期開始時居多。

學生對某種學科的學習方法，未能入奧，摸不到竅門不說，一切還在生疏狀態之中。老師呢，也還沒摸清學生的程度和傾向，難免興之至，一出口就扯到超過學生程度的內容，還以為學生都聽得懂，於是，作風不變，長此下去。

雙方發生這種扞格不入的狀態，說來真是不幸之至。如果長此以往，學生的學力必然大降。遇到這種情況，可有什麼解決的方法？

辦法當然有，那就是，在師生之間架起一座「橋樑」，靠這個橋樑彼此有所溝通。老師那方面要以「測試」的形態架起這一座橋樑。測試的目的不在評分，或藉此嚇唬學生，而是從測試的結果探知學生的程度和學習的效果，拿來當做老師反省授課方式的參考資料。

學生該架起怎樣的橋樑呢？學生的橋樑是「多發問」。上課時間也好，放學後也好，只要有不懂的地方，就不客氣地向老師多方討教。這麼一來，「念佛」立刻變成很有魅力的「講課」，「馬」呢，也立刻變成聰明伶俐的「學生」。

問題是在，事實上，學生並不容易自動架起「多發問」的橋樑，逼使難題懸而不決。原因可能是多方面的。譬如，進了高中，「要我發問？那多不好意思呀！」之類的心情，遠比國中時代還要強烈，這是事實。其實，這也無礙，要是自個兒發問覺得不好意思，何不跟數位同學結隊跑去找老師？這也不失為妙計之一。

「恃衆行事」，一般人都認為不是好事，但是，有關學習上的事，我倒主張請大家多多「恃衆行事」。有些人另有苦惱，他們常說：

「要我發問？我就不懂到底問些什麼好咧？」

這種人一定是對那個學科的基礎部份，沒有徹底了解，可說是「病入膏肓」，任其下去，後果不堪設想。我要奉勸患了這種重症的同學，趕緊從第一項，紮紮實實地重讀一次，那才回生有望啊！

第19計 聽推車型老師的課要不拘細小

——聽課秘訣之五

某學生發表某種調查報告，大夥就針對那項報告發問、討論。最後由老師，把問題來個綜合，這時候，老師也儘量不先說結論，想辦法讓學生自行下結論——這種教學方式叫做「推車型」。

又如，理科方面的實驗也如此，老師並不教細節，任由學生自行實驗，自行發現結論。這一型的老師，看似「不怎麼親切」，但是，他們的教學方式可以提高學習意願，也能促進思考力，對全盤性的學習效率更是助益無窮。

唯一要注意的是，學生們調查的事，往往流於細節，忽略了最重要的中心點，整個問題的綜合也有漏洞，所以，務必另作「綜合筆記」，把老師的結論和教科書、參考書上的要點，整理在裡面。

又，自己調查過、實驗過的事，印象至深，但是，別人做過的，印象可沒那麼深，當然無法牢記在腦中。

為了防止這個缺失，最好積極地親自體驗，遇上不懂的問題就向同學討教，避免學習上質量不均的現象。

上面說過的各種教學方式，在各位同學的學校，一定有「恰如其型」的，要知道，對各種不同的教學方法，都以一成不變的方法去學習，那就其敗必然。

你要隨著每位老師的授課形態，調整自己的學習方法，並且早日使之習慣，這麼一來，上課就成為興致淋漓的事了。

第20計 向自己的最高記錄挑戰

看澳洲泳將康拉茲的游姿，似乎跟別的選手沒什麼不同，可是，瞧他在水上游起來，不但姿勢漂亮，也快如滑行，令人撟舌不下。

他的雙手和雙腳在游泳時，合拍符節，相輔相成，如像沒有浪費一丁點氣力。「腳2」和「手2」的勁力，在他身上渾然合一，不只是2＋2＝4，簡直發揮出2＋2＝5的效果了。不久前，他還是個無名的少年選手，曾幾何時，逐次刷新世界記錄，成為中、長距離自由式稱霸全球的泳將，他成功的原動力就是非凡出衆的那一雙手和那一雙腳。

同理，在讀書的方法上，講究效率，從不浪費時間、精力的學生，花了跟別人同樣的時間，卻可以獲得2＋2＝5的實力。你要抱著「向自己的最高記錄挑戰」的鬥志，以它做原動力，不時鞭策自己，孜孜努力，多方發掘適合自己的各種讀書方法，提高學習效率，那麼，成為非凡出衆的學生，只是時間問題而已。

第21計　不同學科要有不同的整理法

有些人常嘆說：「奇怪，花了不少的時間去讀書，成績偏偏毫無上升的跡象，真叫人想不透！」

根據我的經驗，如此唉聲嘆氣的人，大多數的共同缺點是：「對任何學科都使用同一種整理方式。」

一成不變，可說是最拙劣、成效最不彰的讀書方法，你該徹底做個檢討。

例如，拿數學來說，本質上它是要憑思考力去學習的學科，你卻只知整理公式，將它背起來，或是整理例題的解法和答案，拚命地一股腦兒記憶——這就大錯特錯。當然，公式是非背不可，但是，只知做機械式的記憶，那就愚蠢到頂，毫無意義。這種重思考的學科，學習的要點應該放在：

「如何應用公式去解答各種問題？」

也就是說，學通應用的訣竅，才是最最重要的事。

這個道理也可以套用到「物理」，也可以套用到「化學」的一部份。

可是，同樣是自然科，「生物」這一門就大異其趣。因為，學習生物跟學數學、物理不一樣，「記憶」的比重佔得相當大。數理之類的學科，在整理上共同的地方，是任何學科都要跟實驗或觀察聯在一起，才能將它們的重點整理出來。

社會學科的整理方式，則放在「如何把重點整理得便於記憶。」

整理社會學科時，必須對所有的要點來個總檢討，根據「至少要記住的知識」這種大致的標準，把那些內容分門別類地整理出來。

考題都從學習過的問題當中擬出來。數學則偶而會出現沒學過的題目，但是，只要有應用能力，並不難應付；社會學科就不同，你沒記住的東西，任你絞盡腦汁還是寫不出半個字的。學科不同，整理方式也要隨著不同，這個差別在整理重點的時候，務必牢記於心。

國文、英文之類語文學科，向來也給劃為「必須背誦」的種類，其實，並不盡然。學語文必須把基本的單字、片語、文法記牢（這方面就跟社會學科類似），然後，把這些東西運用到各種文章，或靠自己把它寫出來（這一部份就跟整理類似）。這麼一分析，當知語文科正好位於「記憶為主」的社會科，「思考為主」的數理學科之間。

總而言之，你要認清各科的特色，隨著它的內容，或以「記憶為主」，或以「思考為主」，或以「記憶、思考各半為主」，投其特點，在整理的時候，善加調節，綜合得宜——這可是學力倍增絕不可缺的「招數」，萬萬不可大意。

第22計　要精於七種整理法

說到如何整理出各科內容的要點，方法頗多，下面就介紹行必有效的幾種秘訣。

●先整理不了解的部份

這是跳過你懂的地方，專找不懂的部份，將它一一解決的方法。是一種對症下藥的秘方，保證一帖見效。

在整理的階段，如果中途突然冒出你不懂的問題，後面的部份就秩序大亂，不知所云。所以，在實行各種整理法之前，務必把這些不懂和未解決的部份，先行解決、整理，以免阻礙重重，寸步難進。

遇到這些不懂的問題，如果聚精會神地思考一次之後，還是不懂，你得向同學或老師討教。不懂而又恥於下問，只知花一大把時間跟教科書「互相瞪眼」，不但無濟於事，如此浪費時間，未免太傻。

未解決的問題，在向同學、老師討教之後，就有了眉目，一有眉目就等於找到線頭，再難的問題都能迎刃而解的。

●換個角度思考

有些人說：「學習新教材就令人興致無窮，一想到要整理學過的東西卻提不起勁兒來。」

之所以提不起勁，原因在於採用跟過去聽課時同樣的方法去整理，這就難怪沒什麼新鮮可言，做一會就覺得乏味至極，可說是理所當然。

如果懂得改變整理的方法，或養成從另一個角度去看的習慣，你會從學過的教材中發現新的事實，如此一來，對事實的看法將能更為深入。

例如，要整理出各時代著名的畫家，以及他們的代表作時，假定它的內容是：「葛飾北齊（一七六〇～一八四九，日本江戶後期的浮世繪畫家）在風景畫方面開拓了嶄新的畫風，作品當中最有名的當推『富岳三十六景』。」

你在整理這個事實時，不妨換個角度想成：

「富岳三十六景的作者是誰？他有什麼著名的事蹟？有些什麼貢獻？」

角度這麼一變，有關這件事的知識，就能深印在腦裡，更由於研讀方式連根改變，也覺得新鮮有趣，無異一舉兩得。

又如，在數學方面，別只想出一種解法，如能多思考好幾種解法，應用能力勢必大增。

就像前面說過的這些例子，只要這樣動腦，做到從各種方向衝來的問題都能使你毫不猶疑地順口回答，那麽，有關這一項知識，不但牢牢在握，你的信心也因而大增，真個好處無窮。

●從「大把抓」到「小把抓」

整理某種內容，不要一開始就只想記住細小的事，應該先把全盤性的知識來個有條理的「大把抓」，或是把最重要的幾個要點，提綱挈領地記在腦裡。「大把抓」之後，才朝著「小把抓」（細節）的方向一步步走去。

拿釣魚做個比喻，釣魚之前為了準備釣鈎、釣餌，忙得團團轉，直到萬事皆備，垂下釣絲，一竿在手就只等著魚兒上鈎。

可是，釣了半天，毫無動靜，著實令人發疑。調查之後，這才發現這個池塘原來沒有魚！這一類笑話，也常常發生在讀書方面。忘了「大把抓」，只知做「小把抓」的整理，你就會遇到這種氣也不是，笑也不是的失敗。

整理任何學科，你都要切記：

「務必做有系統的整理，小心迷失在岔路。」

●自造問題自行解答

把教科書的題目（大標題、小標題）改成「問題」的形式，然後看看內容，尋找這個問題的答案——如果使用這個方法，找出課文的要點，可說是又快捷又確實。例如，課本上有個標題是「must 的用法」。

你就在心中把它的形式改為：

「must 的用法有哪些？」

然後，順著課本的內容看下去，你將發現它有下面兩種答案：

①必要、義務、責任、命令、必須。One must eat to live.（必要）

②一定是。必然性的推測。He must be mad to do s ucha thing.

如果不在心中假設問題，光是照課文看下去，要點到底在那裡，印象就模糊一片。要是這麼假設問題，看過之後印象就特別深了。

這些答案，一找出來就立刻劃線做記號，或馬上把要點抄錄在輔助用筆記簿。

「問題」的假定方式，隨著學科和內容而略有不同，但是，他心有所圖地看下去，你就漸漸懂得個中要題。

●將衆多綜合為一

如果把最根本的項目掌握住，其他由此衍生的事，就算不做細節的記憶，也會大致有個了解——符合這種條件的內容，只要把衆多同類的事綜合為一，對學習效率就大有助益。

例如，數學、物理的公式，國文、英文的文法，與其個別記憶，不如掌握中心的法則，記住它做何變化。

應考的時候，即使忘了枝節，只要順著系統追想，那些法則，都能一一浮現腦裡。

●熟練各種事例

有必要整理出「思考方式」的學科，必須實行「熟練各種事例」這一招。

不過，你要特別注意，莫跟難題胡亂拚鬥。對每一條問題做個別的學習和記憶，那就吃力又無效，實在是多此一舉。光是練習很多問題，若不具備「何種場合就該使用何種方針來解答」的能力，等於白費心機。

為了培養任何問題都能解答的能力，你得精選問題的各種事例，把它的例題一一練習過。

也就是說，儘量根據單元別、項目別整理出來的問題集，多多練習自己最感棘手的事例，從熟練中培養出應付有力，綽綽有餘的信心。

完成某個事例的練習，就立刻做另一個事例的練習。對某種事例的解法已經瞭若指掌之後，又練習幾題同類的問題，這是時間的浪費，大可不必。

●猜題無妨

猜題之後，只讀那些問題，這種撞僥倖的讀書方法，是學習上的旁門邪道，光靠這一招，不可能獲得好成績，但是，純粹站在學習抓住要點的立場上而言，如果對「哪一種問題很重要？哪一種問題容易在考試的時候出現？」一無所知，那就未免太不聰明。所以，全盤複習後才猜題，倒值得提倡。

教科書上的內容，事實上就有考試「經常出現」和「不常出現」的問題。兩者的區別，只要平時凝神聽課，不難猜出七、八成。又，研讀問題集，就大致有線索可尋。跟同學交換這方面的意見，也是一個辦法。經過這些程序之後，針對重要的問題，花一番功夫，從容整理，效果必然大彰。

第23計　洞悉「學力大進三秘」

(1)第一個秘訣：聽課為重

自以為是的讀書方法錯誤至多。從古時候流傳至今的武術或技藝，八成都有所謂的「流派」，他們一直在嚴格的師家制度之下，固守傳統。

說到讀書方法，也有類似「流派」的一面。不過，讀書方法的「流派」，不像武術、技藝那樣固守某種傳統，而是各自獨創居多。

說不定你就是「某某派讀書方法」的師家呢。下面是各種常見的流派。

●速記派

老師講課時，不管聽得懂或聽不懂，只知埋頭做筆記，這叫做速記派。他們把家裡自習的大部份時間，耗在整理筆記。這一派之中還包括「雙重筆記派」，將課堂上做的筆記帶回家，重新謄寫一次，態度之慎重，無與倫比。

●防守派

這一派的人並不忘預習，可是，預習的只限於可能給老師指名回答的學科。結果是，天天預習英文、數學，其他學科則絕少涉及。更極端的是把可能問到的問題，從參考書抄下來，事先就把答案準備得好好的，如此胸有成竹地上課，真是走火入魔，莫此為甚了。

●超然派

大言不慚地說什麼：「老師教的玩意有什麼新鮮可言？」不看教科書，只看一些艱澀難懂的書，如此超然自得。這些人由於基礎不穩，最簡單的應用問題就給難倒，這是所有流派中最無聊的一派。

●馬耳東風派

心不在焉的聽課，該記住的事卻當做馬耳東風，不必記住的課堂笑話，卻牢記不忘。

這一派的人，不作興預習、複習，成績總是敬陪末座。

●習題派

老師出了習題才做功課，否則，一回家就丟了書包，大玩特玩，好像讀書這回事跟他們全然無關。這是屬於「只要做好習題，天塌下來也不怕」的一派。會員以小學、國中生居多，偶而也夾了些高中生。

上面提到的每一個流派，都有致命的缺點，而且漏洞百出，從這些派別中，你絕對找不出學力大進的方法，如果你是這些派別的信徒，還是早早脫離為妙。

到底該怎麼做，你的學力才會更高一層樓？

第一個秘訣就是：聽課為重的學習法。

●不要怕事被動

你是不是認為，所謂的上課就是被動地接受老師的教學而已？要是接受老師的教學就可以了事，那又何必預習？只要把老師說的話，像「秦吉了」（掠鳥科燕雀目，能效人言笑，俗稱八哥）那樣囫圇個呑，不就成為優等生了？

中學的課程（尤其是高中）可沒有那麼好應付。在毫無準備的情況下，聽老師講課，頂多只能懂些雞毛蒜皮的東西，若要徹底了解那個學科深處的重點，幾乎不可能。只要你被動接受教學，夢想學力大進便是奢談。

眞正的學力，只有在聽課之前靠自力研究，苦心思考新問題的解法當中，才能養成。上課的意思，應該是把自己做過，但不怎麼了解的問題，在那個時間內，求得解答的線索，然後，進一層去思考更深的問題。

想採用這種積極的學習方法，你就非搬出「預習重點派」的招數不可。預習，通常分為三個階段。

●預習的第一階段

先把教科事看一遍，在不甚了解的地方劃線做記號。上課時就針對那個疑點，提出問題，直到了解為主（任何情況下，至少要做到這種程度的預習）。

●預習的第二階段

預先研究課本的內容，把問題解答之後，上課時拿出來跟老師的正確答案做個比較（英文、數學、國文等學科，預習時務必做到這個地步）。

●預習的第三階段

使用程度較高的參考書，靠自己把後面幾課的內容，做一番預習（擅長的學科，使用這個方法最管用）。做到這個地步，興趣必然大增，預習功夫也漸入「爐火純青」的境界。

上課之前，把預習工作做得如此紮實，上課又能專心聽講，徹底了解，那麼課後復習的時間就不必花費太多。

又，在預習階段遇到不甚了解的地方，你得立刻回頭來復習以前的部分，所以，「預習」本身就包括了比率不低的「復習」工作。這就是說，預習也是等於復習以前的功課，兼有兩種功用（很多人對此漠然不解）。

在份量上，兩者的比率應該是「七分預習，三分復習」。這個比率很重要，超過或減少都不好。

至於，三分復習的方法該怎麼做，它也可以分為下面三個階段。

●復習的第一階段

把課堂中學過的事重複一次（這是最愚笨的復習方式。）很多人都這樣點到為止，不求深入。不過，總比從來不復習的人好得多。

●復習的第二階段

把學習過的內容，摘出要點，整理在筆記簿上（時間花費不多）。這就比第一階段更進一層，由於透過整理要點的作業，印象就加深了。

●復習的第三階段

做練習問題（應用能力因而加強。關於這一點，後面有更詳細的說明）。

總而言之，要使學力向上，必須聽課為重，在預習到上課的階段，讓你的實力獲得最大限度的伸展，然後利用復習的時侯，將學習的要點做一番整理，藉此提高應用能力。

(2)第二個秘訣：征服不擅長的學科

●如何治療錯誤的學習方法？

生病就得看醫生，這是誰都具備的常識。要是胡亂自療，就有投錯藥物，或該冷敷卻來個熱敷之類的錯誤療法，本來沒有什麽大礙的病，說不定就給搞得病症加劇，回生乏術。

產生「不擅長的學科」，等於患了學習上的一種病症。要是無法對症下藥，只會使人對那個學科更加不擅長。

你不妨先檢討一下，自己是不是患了下面列舉的，錯誤的學習方法？

・速成栽培型

「我要在兩週內，使不擅長的學科一變而為擅長的學科。」好多人曾經這樣指天發誓。

擬定這一類看來鬥志滿腔的計劃，打算以快速栽培花草的方式，短期內征服不擅長的學科——這叫做速成栽培型。它的特徵是求快。

速成為主的學習方式，不可能打好基礎，到頭來只有落得愈讀愈糊塗的結果。

・虎頭蛇尾型

頭一個禮拜還會發憤用功，可是，到了中途就掩卷而廢。暑假讀過的功課，一到九月就拋諸腦後。中斷學習，就功敗垂成，前面那一段努力，只有齊付東流。很多人老是重複這種打一天魚，曬三天網的事。

征服不擅長的學科，只有穩紮穩打，踏實而進，就像跑馬拉松那樣，恒保意志，耐心地一步步往前走。

・變化不定型

這也不對，那也不對，如此不斷改變讀書方法，這叫做變化不定型。征服不擅長的學科，可沒有什麼特別靈光的大秘密，忙於探索其中要訣，不如專心於某一種平凡無奇的方法，一旦決定了就貫徹始終。征服之道，全在於此。

・猶疑寡斷型

「暑假後我一定好好加油。」

「不，秋天過後我一定對不擅長的學科，發動一次全盤性的征服運動……」不斷立誓，到頭來又遲遲不行動。這一型的人，只會吆喝，卻猶疑寡斷，等到何年何月，也沒有征服的機會。

要緊的是：「馬上開始！」只要有個起頭（不妨從做得到的地方開始），事情就好辦了。俗話說，凡事起頭難。斷然行動，才能造成習慣啊！

・自我暗示型

「我的數學能力太差。」

「我沒有學語言的天分。」

東一個理由，西一個理由，給自己來個「反正，我是個不成材的人，努力何用？」這一類的暗示。

洩氣如此，就算有了拔尖的學習方法，怎能攻克「不擅長學科的城堡」？

●學力大進的幾個秘方

不擅長的學科可說是一種「疑難大症」。如果採用一般要死不活的學習方法，絕對無法使之一飛沖天，這個事實，相信你也看過、嚐過。

要是隨便立個打馬虎眼的對策，不擅長學科的外殼，就變得更堅硬，如此弄巧成拙，病症只有日漸加劇，令人更加茫然無策。

醫生對付疑難大症，總是毅然來次大開刀。

同理，對付不擅長的學科，只是徹底檢討過去的學習方法，然後，擬定絕對有效的對策──這才有希望使你的學力，大大增進。坐以待斃，或是胡亂操刀都不是辦法。下面就是絕對有效的幾帖妙方。

①花最多的時間學習不擅長的學科

不擅長的學科，學習時總是令人提不起勁，這是人之常情，不足為怪。

由於索然無趣，花在這些學科的時間和精力，自然而然大減。

學習時間大減，所以，不擅長的學科就愈來愈不擅長，這就造成一種惡性循環。要破除這種大毛病，只好心有所圖地在不擅長的學科花費更多的時間。

當然，一開始就如此，很容易令人感到困倦，最理想的辦法是：逐日漸增。

在一天的學習活動中，把不擅長的學科夾在其他學科之間，做短時而多次的分散——這一招也蠻管用。

②徹底了解最基本的知識

所謂的「徹底」，絕不是隨便看幾眼，稍加復習即可，它含有相當嚴厲的意味。它是要你只進不退——不了解透徹絕不能罷休。拿英文來說，就得從國中時代學習單字、文法、基本語型之類最基礎性的東西，不但要徹底了解，還要背得滾瓜爛熟。

無法做到這個程度，你的征服計劃將是空談而已。

③找出弱點做重點式的加強

不擅長的學科，若加分析，你會發現有些地方是一問三不知。有些地方倒是略有所知，並不是全都不懂，這是一般常見的現象。

如果把這一類弱點，一一找出，做地毯式的加強工作，你將很快就對這些學科恢復信心。最無可救藥的是：「哪裡不懂也找不出來」的人。除非你是個天下少見的懶蟲，當不至於窩囊到這種田地。

④利用輔助用筆記簿幫助記憶

基本性的東西，不要光是用看的方法來記憶，你必須在輔助用筆記簿上，把要點整理出來。輔助用筆記簿的好處就在「使你有效地逮住那個學科的骨架」。與其把一大堆零零碎碎的知識，往腦裡猛灌，不如用這個方法，把整個骨架，紮紮實實地組合起來。

⑤重複一百次

這可不是誇大其辭，重要事項你就非重複百次牢刻在腦中不可。有人說：「重複了幾次，還是無法記得，這可怎麼辦？」別洩氣，因為，只重複幾次是不夠的，你要反覆不停地去記憶，要有反覆一百次的決心！

上面提到的種種方法，每一條都很單調刻板，容易令人生厭。可要知道，如果缺乏忍耐到底的毅力，不擅長學科的那一堵厚牆，你將永無突破的一天。

(3)第三個秘訣：充實應用能力

有個高中生曾經向我討教：

「每次我都把課堂上學習的事，用心背熟了才參加考試，但是成績總是不太理想，這是不是讀書方法錯了？」

心裡存著這種疑問的人一定很多。

一般學生似乎都過份依賴「背誦式讀書法」。國中時代使用這一招，或許還可以通用。事實上，國中生當中，成績保持前幾名的人，以記憶力強的人佔多數。

可要知道，國中生的「實力」跟高中生的「實力」，兩者相比，性質截然兩樣。記憶力強的高中生，成績並不一定就好。最重要的是，「如何操縱、活用記下來的知識」——也就是所謂的「應用能力」。缺乏應用力就像沒翅膀的鳥，怎能鼓翼起飛？

在高中，我們把應用力豐富的人稱為「有實力的人」。

只把教科書讀好，算不算有實力？

老實說，讀通教科書，並不等於有了實力。

教科書只不過是提供我們最起碼的基石而已。我們必須在這個基石上，再建立「應用力」，知識的建築物才算真正落成，才能屹立不搖。

光是練習困難的問題，也不見得對實力有何幫助。要緊的不是「懂得答案」，而是架橋的工作——如何驅使基本知識來解開問題，這種從基礎到應用的架橋工作，才最最重要。背知識絕不是讀書唯一的方法。

要使學力大進，它的第三個秘訣就是，把學到的知識運用到練習問題，從中了解知識的內涵，發揮好處無窮的「應用力」。

●充實應用力八訣

・第一訣：有系統的練習

儘量配合教材的進度，有系統地做各種問題的練習。前面已經說過，最要緊的是先要架起「從基礎到應用」的橋，應用力才會產生威力。不架這個有基礎，有系統的橋而拚命用功，應用力還是無法鍛鍊有成的。

・第二訣：從易而難，循序而進

練習的問題一定要從教科書上的例題開始。例題弄通了就做「練習問題」，然後做問題集，或是參考書上的基本問題，最後才做各種應用問題。

如此由易而難，逐段挺進，就不至於浪費時間或徒耗心智，實力自然而然就日漸加強。

・第三訣：一定要自己作答

一般人常犯的毛病，是只在腦裡想著解法，稍覺困難就立刻翻看答案。這可能是信心毫無，或是沉不住氣的關係，這種學習方法可真是其笨如驢。

慣用這個招數，你將無法查出錯在何處，而，錯在何處就是架起應用力之橋最具關鍵的立腳點，所以，無論如何，都得親自把答案寫出來。

你要體認一個事實：不用筆，不用紙，應用力就永遠跟你絕緣。

•第四訣：整理問題的各種條件，掌握其間的關係

面對問題的時候，務必把問題的條件先整理出來。把問題的條件弄清楚了，你才能發現它跟基本知識之間的幾個關係，由此找出解答的路子。

「這個問題，到底要應用什麼基本知識？」

在整理過程中，你可以養成一眼看出「應用路向」的判斷力。這是解答問題絕不可缺的條件之一。

•第五訣：反覆練習最弱的部份

克服自己最弱的部份，最簡單而有效的辦法是：針對那些最弱的部份，徹底地反覆練習。這個情況就像用鑿孔機向某個地方鑿個不停，到頭來必能鑿出洞孔那樣，任它有多硬，終可致勝。

你最弱的部份，只要搬出這一招，鍥而不捨地攻擊，必能獲得最後的勝利。「鍥而不捨，金石為開」，請想起這句格言。

・第六訣：難題無法解決時暫擱一邊

遇到屢思不解的難題，可別在它上面耗費太多的時間。你可以暫時把它撇開，轉做其他問題或其他學科。過一陣子之後，你才回過頭來，重新跟它拚鬥。

如此一再地「隔時攻擊」，當可克敵致勝。

要是此法仍然不通，就翻看解答，檢討自己給困在哪裡，弄清楚之後，再從頭解答一次。

・第七訣：解答之後再看一次

把問題解出來之後，不要馬上做另一條問題。這時候，將解答過程再溫習一次，效果之大，不可言喻。錯誤的地方別塗掉，在下面劃線，旁邊註明正確的答法，可做以後很好的參考。

又，不要在另一張紙計算，你應該在筆記簿空出計算的位置，直接算在上面。

・第八訣：儘量想出其他解法

能夠想出其他解法，表示應用力比前邁進一大步，是個可喜的現象，證明你的腦筋已經善於應變。千萬不要想出一種解法就心滿意足，你還得養成想出其他解法的習慣。解法愈多愈佳，它可以使你的應用力如虎添翼。

第24計　實行「活用個性的讀書方法」

(1)全盤整理式：適合一絲不苟的人

T同學是S高中的學生。他是個品行極優，奮勉不懈的人，每天都按時預習、復習，一年如一日，從不間斷。

他的筆記，以清楚、乾淨聞名，據說，只要看T同學的筆記，任何細小的事都一眼就看得出來。

平時翹翹的同學，在考試前幾天，都爭著向他借筆記簿，常常鬧得一室騷然。可是，每逢考試，T同學的成績總是不如理想，倒是那些向他借筆記的同學，往往考得比他好。各位讀者之中，是不是也有像T同學這樣的人？

這一類「一絲不茍」的人，他們的長處是：

①學習上，質量均勻。

②不會忽三忽四，極有耐力。

③對枝節性的知識，所知頗多。

④工作有計劃，做來清楚、整齊。

他們的缺點是：

①掌握不住問題的大綱。

②容易忽略重點。

③沒有應用能力。

這就是說，一絲不苟的人，總是拘泥細小，因而對全盤性的骨架缺少認識。只對零零碎碎的知識，所知頗多，卻弄不清楚：那些知識，彼此之間有何關聯？如何才能靈活運用？關鍵性的重要在哪裡？如何把它們穿成一體？任那些知識，各據一隅無法綜合為一，結果是徒耗精力，勞而無功，實在令人惋惜。

一絲不苟型的人，該採用什麼讀書妙計呢？

●腦中豎起「知識的系統樹」

人的頭腦，光是機器似地猛填知識，並不管用。就算當場記住了，隔不多久就煙消雲散，好像從沒記憶過。考試前，臨時抱佛腳，猛開夜車，效果如何，我想各位都比我還清楚。渴而掘井，鬥而鑄劍的作風，實在有必要加以摒棄。

要是把學到的知識，循著一定的法則把它整理妥善，輸入腦中，再多的知識也不怕裝不進去，而且，妙就妙在，臨到要用它，隨時可以抓它出來，真個活用自如，要什麽就來什麽。把各科的知識這樣整理成容易記牢的方法，叫做「全盤整理式讀書法」。

至於如何整理，各位不是曉得「系統樹分類法」嗎？搬出那一套就行了。

例如，要把動物分類，就先把它分成「脊椎動物」和「無脊椎動物」兩種。這就是主幹。然後，從脊椎動物這個主幹，再分出「哺乳類」、「鳥類」等支幹。從「哺乳類」這個支幹，再分出「人類」、「狗」之類樹葉……。

如此這般，將生物有系統的組織，拿樹木的形狀來表示的方法，就是「系統樹分類法」。每一個學科，不一定都能成為這種「系統樹」的形態，但是，至少要整理成像「系統樹」那樣，縱橫有序，條理井然，再複雜的事都能一看即懂。

最快捷的整理方法，是利用你目前使用的教科書。把目錄抄在筆記簿，它就成為那個學科「系統樹」的原型。

當然，光是把目錄列下，未免失之籠統，你可以從每天學習的知識之中，挑出重點，一一附加在「系統樹」上，然後，不時反覆地看，反覆地讀，將整個體系圖一股腦兒放進腦裡。經過這樣的學習程序之後，細小的知識也會變得栩栩如生，深印腦中，你的實力也就隨著只增無減了。

(2)進攻式：適合倔強的人

●逞強就容易焦慮而失敗

高中一年級的A同學，寫信問我說：

「我從小就是個好強的人。運動場上如果輸了誰，我就氣得什麼似地，那天我就茶飯不思，更休想睡得沉。在讀書方面，我最擔心同學們擁有的參考書，因為，我怕他們靠參考書而成績日進，遠遠趕過我。

我常碰到初中時代的同班同學D，他現在進了另一所高中，他告訴我，他們學校的英文和數學教得比我們快，內容也比我們豐富。

我覺得自己處在這種局面下，實力將比別人差一大截。請問處於像我這種境況的人，該採取怎樣的讀書方法才最有效？」

從這封信來判斷，A同學是一位個性倔強，事事不服輸的人。

性格倔強的人，通常，對四周的情況很敏感，而且，還會採取行動，試著跟別人競爭到底，不分個勝負絕不干休。這種競爭，不像小學、國中時代那樣輕易「得遂所願」。不是效果不佳，草草而終，就是只熱衷於某一件事而破壞了讀書的均衡狀態。

由於這個緣故，倔強成性的人，容易陷入不安。有人甚至焦慮終日，到頭來就像A同學那樣，對自己的讀書方法失去了自信。倔強的人倒也有他們的長處：

①充滿鬥志。

②專心致志，非徹底追究出結果絕不罷休。

③受得了嚴格的訓練（HARD TRAINING）。

倔強的人可以活用這些長處，實施下面的「攻擊性讀書法」。

●征服難題的高峰

這個方法簡單地說，就是從正面跟難題來個衝撞，把它征服，藉此對讀書產生自信的招數。只要信心泉湧，別人有何讀書妙計，你就不再耿耿於心了。

從正面向難題挑戰，意思不是說沒頭沒腦地「胡亂找出難題向它挑戰」。這麽做，絕非賢明之策。

你要「循序漸進」，就像練習跳高那樣，只能從輕輕鬆鬆一躍即過的高度開始練習，然後，逐次把橫桿升高，最後，就在力所能及的最大界限，決個勝負。

也就是說，征服難題，要訣所在，是遵守「由易而難，逐步挺進」的原則，操之過急，絕對行不通。如果某個階段的問題攔阻你的前進，表示那種問題正是你最弱的部份，你得找出幾條類似的問題，練習幾次。

直到把那些問題完全弄通了，這才向更高一層的階段挑戰。

正在攻擊難題的時候，如果遇到想了十分鐘、二十分鐘也不得其解的問題，切忌忿而握拳，說什麼：

「真氣人，非把它弄通不可！」

對同一個問題耗費太長的時間，應該懸為大忌。

有關這件事，不妨介紹一個有趣的故事給大家做個參考。

法國很有名的數學家安利・朋加萊（JULES HENRI POINCARE 一八五四～一九一二），有一次，跟一個難題纏鬥不休。那個問題的確很難，任他如何動腦筋，還是解不出來。

就在時侯，有個朋友來訪，並且邀他一起去欣賞歌劇。這位朋友難得碰面，人家又是誠心邀請，實在不好意思拒絕。朋加萊只好把那個難題，暫時擲在一旁，欣賞歌劇去了。他正在欣賞歌劇的時侯，腦裡突然閃過一個啟示，他就匆匆趕回家，對那個難題又思索了一陣，果然，只一會兒就把它解出來。

這個例子告訴我們，在奮戰一會之後，仍然不得其解的問題，最好暫擱一旁，經過適當的冷卻期之後再去思考，往往眉目頓現，使你輕而易舉地解決它。

個性倔強的人有個傾向——容易為一個問題費時過久，不得其解時又不肯放手，所以務必記牢「適當轉換」的原則。

又，解難題的時侯，如果對基本事項不盡了解，一定要回到教科書上，重新溫習。要知道，攀登山峰，如果不量力而蠻登，遭難只是時間問題而已。同理，遇到不得其解的難題，最好以退為進，切忌直衝個不停。

(3)短時間回轉式：適合沒常性的人

●動不動就厭膩

在私立W高中就讀的M同學，向我訴苦說：

「我有心好好讀書，可是讀了一會就厭膩，真不曉得該怎麽辦？」

面對書桌坐不到二、三十分鐘，他就開收音機聽音樂，或者跟弟弟玩起來，再不就是看報紙——一副心中沒底的模樣。

M同學的媽媽，為她這個讀書無法持久的孩子，頭痛欲裂，問我如何才能矯正M同學的毛病。像M同學那樣沒常性的人，他們的缺點是：

①無法長時間做有效率的工作。

②注意力不集中，無法對一件事專心致志。

所謂沒常性，跟「發呆」、「心不在焉」並不相同。

他們也會集中注意力於某件事，只是時間不長而已。做做這，做做那的時侯，雖然為時短暫，在短暫的那一段時間內，他們還蠻專心的。當他們對某件事感到厭膩，馬上又對另一件事熱衷起來，如此反覆各種事，倒也其樂無窮。

說來，他們才不發呆，也不「心不在焉」，倒是不停地做某一件事——只是對每一件事無法持久罷了。

「沒常性」、「動不動就厭膩」，可說是一種「警告作用」，是學習活動中的一種紅燈。也就是說，讀書的時侯如果發覺「厭膩了」，我們大可想成「讀書效率下降」的警鈴已經大響。

效率一降，就算硬逼自己繼續看書，只會更厭煩，實在是無補於事。與其這樣浪費時間，不如毅然轉變方向。怎麼轉變方向？

暫時放棄感到厭膩的學科，改做另一種學科，這就比拖拖拉拉長時間做同樣的學科，效率可要好多了。

●做多面性的學習

有一句諺言是說：「大自然喜歡瞬息萬變。」

沒常性的人，說穿了就是「喜歡變化」，所以，只要儘量避免「一路硬幹到底」的方法，還是得救有望的。犯這種毛病的人可把各種學科分成：

A組（國文、英文之類每天必須從不間斷地花短時間去消化的學科）。

B組（數理、自然科、社會科之類每天必須花較長的時間去消化的學科）。

然後，把它們分配如左圖。採取「短時間回轉式」的讀書方法，效率必然大大轉好。譬如，做A組的功課十～三十分鐘之後，接著就花三十～六十分鐘做B組的功課。

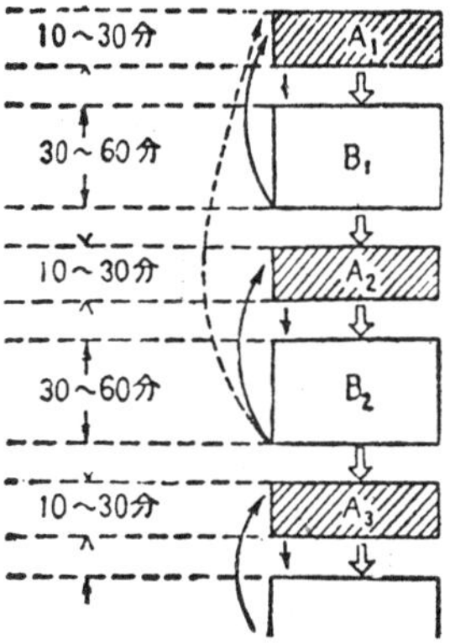

之後，又回到A組，復習剛讀過的內容要點，接著又整理B組的內容，然後，才進入其他學科。有時侯，也得從第二段開頭的地方，重新確認真正了解的部份，以及還含糊不清的部份。

除了在學科的種類和組別上做回轉。做同一種學科時，也得分成「讀」、「看」、「寫」、「查辭典」、「作業練習」等多種方式，如此多方變化，由於學習對象不斷轉變，就不容易半途感到厭膩了。

又，換學科做功課，在告一段落的時侯，也莫忘了夾些休息時間，調劑身心。休息時儘量轉動身體，這對消除頭腦的疲勞，相當有效。到屋外散散步，或做些簡單的運動，也未嘗不可。沒常性的人就要這樣「以動制動」，才能提高學習效率。

(4)重點預習式：適合謹慎的人

●缺點在於不夠積極

目前就讀T大學二年級的O同學，還是高一的時代，在班上是個毫不起眼的學生。他的成績，忽上忽下，始終跑不出中等的水準。

高二的時侯，他來找我，說打算考大學，要我教他一些有效的讀書妙計。我跟O同學聊了一會兒，這才發現他平時是怎樣讀書的。

他是個凡事謹慎的人，做什麼事總是萬分小心，所以，老師教的書，他恨不得把任何細小的內容都記牢，可是，就有一樣，從不自動再進一步去探討問題。

他絕少做上課前的預習，對復習工作倒是做得慎重而詳細，不敢稍有遺漏。

老師教的事，他從不懷疑，不管自己是不是了解，都一心一意要把它裝進腦裡，這方面的毅力，可真是少人能比。

O同學這種讀書方法，如果是為了獲得基本性的知識，可說是百無一失，但是，缺點就在，要他從那個範圍踏出一步，他就茫然無策。

凡事慎重的人，他們的長處是：

①基本性的知識大致抓得很牢。
②不會誤入「自以為是」的歧途。
③成績不可能奇差。
他們的缺點是：
①太小心了，無法做有效率的學習。
②所以，考試也無法獲得拔尖的成績。
我的結論是：採用重點預習式的方法，藉此培養積極用功的習慣。也就是化小心為膽大，打破困於一隅的局面。
對個性謹慎的人而言，重點預習的方法可說是包管有用的一招。這一招，主要是可以使他不再拘於細節，信心大增。

●預習記住要點，上課時復習內容

重點預習式並不是什麼嶄新的讀書妙計，而是自古有之的方法。
福澤諭吉（一八三五～一九〇一，日本明治時代的學術啟蒙家）在「緒方私塾」求學的時代，那個私塾的作風就是要學生自力自學。
學生們都得靠翻辭典，去閱讀荷蘭文學的原版書。
然後，在課堂上，輪流由學生上臺講課（這個方法，目前有些學校也在做）。

預習功夫不到家的學生，一上臺就結結巴巴，無法暢所欲言，老師就給他一個黑色圈點兒，算是不及格。

預習得好，上臺就滔滔而談的學生，老師給他一個空心黑圈，算是成績不差。事後，這個畫滿圈點的表就公佈出來。成績最好的人才，得以進級，直到畢業。「緒方私塾」嚴格的教育方法，造就了不少一流人物，說來這是順理成章，勢所必然。各位如要實施「重點預習法」，該怎麼做?它有三個秘訣:

第一:上課時可別抱著:「只要聽老師講課不就得了?」那種消極心理。你必須在上課前就抱著:「先把這些內容消化掉」的氣勢，好好做一番預習。

第二:上課時，對預習階段沒弄通的地方，必須聚精會神地聽，務必搞個「水落石出」，徹底了解為止。然後，把重要的地方再整理一次。

(照普通的作法，是在復習的階段做這個工作。)

第三:復習的時侯，由於基本知識已經在課堂上完全弄通，只要專心練習應用問題就好。

普通的讀法和重點預習式的讀法，區別究竟在那裡?從例圖中可以看出，「重點預習式」的方法，比普通的方法積極得多(搶先好幾步)。

慎重成性的人，採用這種事先就周全準備的學習方法，不是跟自己的個性完全吻合嗎?對症投藥，效果之大，當然在預料之中。

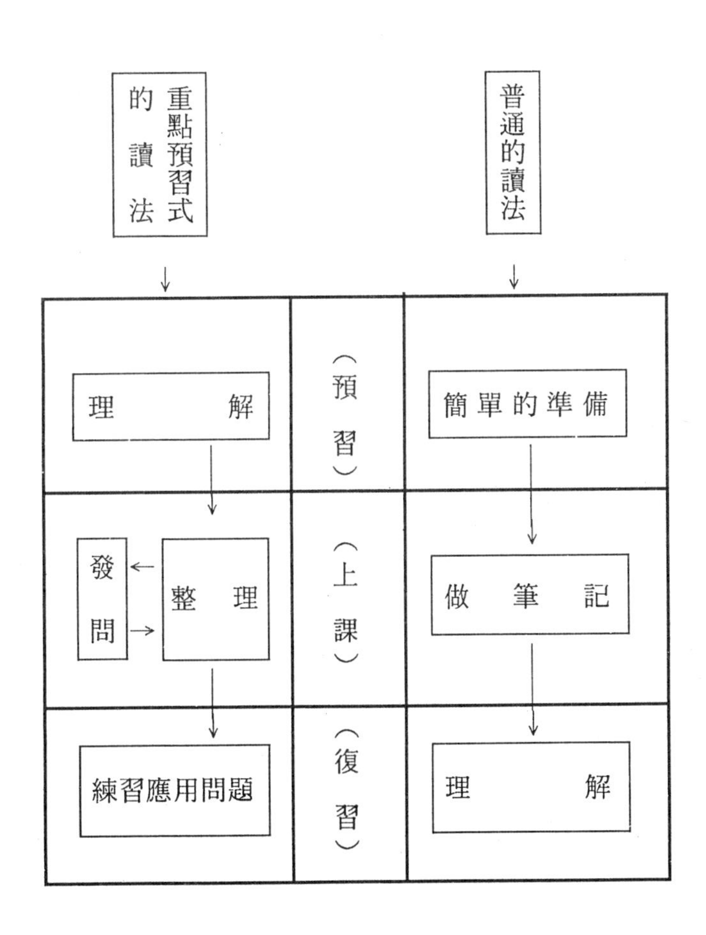

(5)小組式‥適合社交型的人

●朋友不是只為一起玩而存在

F和S是國中時代的同學，目前就讀於不同的高中。過去，他們是一對如影隨形，感情相當好的朋友。有一次暑假，他們雙雙來到我家。我趁便問起他們高中生活的情況和感想。F同學說：

「進高中之前，為了準備考試，我只埋頭讀書。好不容易擠進高中，滿以為可以過快樂的學校生活，哪裡知道，同學們個個猛啃功課，絲毫不鬆懈，情況之烈，不比國中時代差到哪裡。在那種氣氛下，我實在無法交到真正的朋友。我覺得坐在旁邊的同學，就是學業上的敵人，這種學校生活太令人失望了。」

瞧他的模樣，真像個洩了氣的汽球。S同學說：

「我們的學校正好相反。如果在教室裡猛啃功課，大夥就嘲笑，說他是一味爭取分數的書呆子，所以，表面上大家都愉快地玩樂，保持一份交情，其實呀，我知道在家裡人人都猛讀書，生怕落在人後。很在意分數，卻故裝沒那一回事，到了考試的前一天，他們還誇說：『哈，本人連課本都還沒看一眼呢！』說得就跟真的一樣。」

這兩個人的性格都屬於社交型，喜歡跟任何人交朋友。像F同學就讀的高中，班上的人躲在各自的「殼」中，在那種環境下，人際關係就給大大扭曲了，他勢必過著悶悶不樂的日子，過這種學校生活，實在很痛苦。

說到S同學就讀的高中，他們把彼此間的交際列為優先，各人的讀書風氣反而給擠成次要的事，這又離譜太甚了。社交型的缺點就像這個例子，友情只趨向玩樂，對提昇彼此的人品和教養，毫無幫助。

●讀書小組的三個型

我要向社交型的同學說，不妨試試「小組式讀書法」。

這種讀書方法，可以透過「教別人」和「向別人討教」的過程，把含糊不清的知識，弄得一清二楚，同時，也藉此發現自己最弱的部份，擬定妥切的對策。

這麼一來，在F同學的高中那種彼此冷然對立的環境中就讀的人，可以透過學習活動，結交親友；在S同學的高中那種只知為玩樂而交往的環境中就讀的人，也可以促使友情發展到「大夥一起做功課」的建設性方向。

「小組式讀書法」可以分成下面三種型態：

①交換問題型：

首先，要對研究的範圍做個協定。

然後，根據協定的範圍，各自約莫準備一週。在準備期間，從那個範圍中，各自擬出各種「問題」。到了聚會的日子，各自把問題帶到，彼此交換問題，解答問題，答案由出題的人評分後，還給對方。

②發問型：

一起做功課，遇到不懂的地方就彼此發問，彼此教對方。如果善於經營，情況熱烈，興致高昂，收穫必豐。暑假期間的習題，如果採用這個方法去處理，效果會特別好。

③講課型：

請一位對那個學科特別擅長的同學做「老師」，大家充當「學生」，採用聽課的方式來學習。小組之中，如有擅長英文或擅長數學之類各有專長的同學，那就方便多多，要是沒有適當的人選，事先就得請妥「講師」。

上面提到的三種讀書小組，在任何情況下，人數應該限定在五人左右，太少或太多都不適合。

第25計　活用「克服低潮五訣」

學習活動中的低潮

低潮是學習的紅燈

請用「是」或「否」回答下面的問題：

A、我從來不覺得讀書是一件很討厭的事。（　）

B、下定決心學習的事我總是貫徹到底。（　）

C、我對自己的學力有信心。（　）

D、一開始做功課，我能夠馬上集中注意力。（　）

E、學過的事我都能記得牢。（　）

你的回答是：「是」多，還是「否」多？

如果「否」的回答有三個以上表示你已經陷入學習的低潮，可得小心了。

「低潮」就是「一時的不起色」，「一時不振」，就像自動化工廠中的某一部份機器發生了故障，遙控室的紅燈就立刻亮起來那樣，表示學習活動中的某些地方產生了阻塞現象。發生低潮就是學習上亮起了紅燈。

不過，可別把低潮看得像世界末日那麼嚴重，也不要悲觀得草木含悲，天地變色。由於你在進步，才會感到低潮，如果是天塌下來也不管的懶鬼，或是毫不振作的無能之輩，根本不會有什麼低潮現象的。

又，自己會覺得「我好像處於低潮」，這表示信號裝置還在正常運轉，只要擬定適當的對策，可以在病症仍輕之時，把低潮現象消除殆盡。

當你闖過一次低潮，往往使學習情況變得比以前更好，這是常有的現象，從這個觀點說，低潮未嘗不是好事一樁——只要及早處理妥當。要是不及早消除低潮，任其日久不癒，可就斷根不易。到了那種地步，神經科醫師就稱它為「神經衰弱」，這可是真正的病，你就苦頭有得吃了。

為了避免發生這種現象，你要坦然面對「亮起紅燈」的事實，好好反省「之所以如此的原因」，趁症狀還輕的時候，及時撲滅它。

緊張型．鬆弛型

如果任身體中同一個系統的組織長期緊張，那個部位就發生疲勞現象。疲勞一起，系統作用就變得不靈光，無法使你操縱自如。這叫做「緊張型」的低潮。腦神經系統如果不斷使用同一條路線，也會因疲勞而陷入低潮，這是見慣不奇的現象。

頭腦的作用比肉體更微妙、細致，所以，稍有異常，馬上就發生不良的影響。神經一旦太過緊張，即使稍事休息也難望恢復常態，它就有那種本事叫人焦躁不歇，痛苦莫名。怎樣的情況下，腦神經才會最緊張？

①學習方式一成不變時：

如果進了高中，仍然固守國中時代的學習方式，就等於天天在惰性操縱之下讀書，毫無進步可言。又，進了高二，仍然固守高一時候的讀書，由於使用的還是同一種神經系統，到頭來就給逼入進退不得的困境。在這種情況下，就有必要對學習方法施以「返老還童」之術了。

②生活太單調時：

不參加學校的任何社團活動，回家也懶懶散散，無所事事。做什麼事都覺得不起勁……。不喜歡交朋友，一有時間就躲在書房看書……。這一類的人由於生活太單調，也容易疲勞而陷入低潮。

③外界的刺激：

父母過度的期待和激勵；親戚或四周的同年級的競爭對手埋頭讀書的樣子；經常拿好成績的朋友……。這些來自外界的刺激，不斷在精神上施虐，就會逼人過份用功——在這種情況下，也會發生低潮現象。

前面說的都是來自緊張的低潮，另外，有一種低潮來自心情鬆弛的。

譬如，「貪玩」就是最好的例子。這種癖性一經養成，可就不易治療，因為，它會使你興不起讀書的意念。發生低潮時該如何克服它？下面就是依照低潮的類型而下的秘方。

(1)給喪失意願的人——克服低潮第一訣

●症　狀

▲面對桌子、書本，就是興不起一丁點鬥志。

▲對聽課索然無趣，坐在教室就覺得心緒不寧。

▲極不情願地做習題。不會自動翻看教科書或參考書。

▲讀不擅長的學科就覺得頭痛或胃腸不適。

如果你有了這些症狀，就是患了「學習意願減退症」。這個病有急性、慢性之分。

急性症狀：昨天為止，一切正常，今天卻突然意願盡失，這種症狀的特點，是低潮在短時間內來襲，但是，很快又恢復常態，可真是「來也匆匆，去也匆匆」。

慢性症狀：發生於不擅長的學科居多。長期的低潮狀態，累積日久，變成一種習慣，所以，天天在沉悶的氣氛中讀書，心情始終無法開朗。陷入這種慢性狀態，如不拿出非常的方法，是絕對恢復不了常態的。

●診　斷

你是不是太不自量力，期待超越能力的成果？也就是說，太貪心了？

「希望要大」當然有其必要，但是，希望和能力之間如果懸殊過甚，你就容易大失所望。這種失望累積過多，神經就受不了，人也日漸陷入低潮，而難以自拔。

又，平時在父母一再督促之下才勉強用功的人，學習意願也容易減退。這是抗拒作用作祟的緣故。

讀書是為了培養自己的實力。跟自己息息相關的事，卻要旁人發號施令，時日一久，你就會錯覺自己是為別人而讀書，簡直就是聽令行事的傀儡。

還有，由於競爭意識作祟，腦裡胡亂裝滿不重要而且艱澀難懂的知識，忽略最容易、最基礎的知識，走入這種大錯特錯的境地，當然會陷入低潮。

餐餐吃山珍海味，食慾就大減，同理，讀書如果只做困難的問題，腦袋就發生「消化不良」的現象。要激起學習意願，就得想出一些新鮮可喜的讀書方法，使自己覺得：讀書是興致淋漓的事，也是充實自己最有效的路徑。

●處　方

首先，你對父母的勸誡要坦誠接受。內心如有：「何必嘮叨？該做的時候我當然會做呀！」之類抗拒心理，它就反彈到自己身上，使神經更加緊張，低潮現象就更加嚴重。你要擬定「絕對可行的計劃」，譬如，在大目標之內夾一些小目標，把那些小目標，從能力所及的部份，逐一消化，這麼一來，你就覺得大有幹頭而精神煥發，興致大起。

「覺得大有幹頭」、「覺得很有意思」，是學習的原動力，切莫小看了它。

又，如果對原先的讀書方法大失信心，不如趁機對讀書方法來次大轉變。毅然做個改變，很可能使你情況轉佳。

至於該如何改變，不妨找各科的老師，向他們虛心討教，必可獲得寶貴的啟示。一般而言，改變上的首要之務，是使用好的參考書。也不妨到補習班聽課，或是跟同學組織讀書會。原則上要採用跟以前截然相異的方法。

適當的休息也不可忽略。通常，用功一、二小時之後，就得夾一段休閒的時間。要是特別感到疲累，乾脆休息一兩天，暫時遠離功課，這一招也蠻管用。

(2)給喪失耐力的人——克服低潮第二訣

●症　狀

▲沒有常性，開始做功課就心煩意躁。

▲決定做的事在不知不覺中不了了之。
▲只能用心地看參考書的前幾頁，然後就丟在一旁，不屑一顧。
▲每年都想寫日記，但總是持續不了一兩個月。
▲參加講習會，但中途就脫離，無法持久。

如果你有這些症狀，就是患了「耐力喪失症」。患這個症狀的人，大多是國中時代的慢性症狀帶來的。大夥都數落他：「意志太薄弱」，他本人也很想改正這個缺點，但是，做什麼事（譬如，寫日記）總是中途而廢。

參加讀書小組也無法堅持初衷；背英文單字的計劃，總是「A」的部份還沒背完就丟棄不顧。患了耐力喪失症的人，經常重複這種失敗。

●診　斷

你似乎對自己的能力估價過高。把「渺不可期的事」硬加在自己身上，每次都無法如願，事後又氣憤異常，經常重複「瞧我的，這次非做到不可！」這種指天發誓的可笑行為。

燃起鬥志，本來是好事一樁，由於計劃有誤，鬥志就發生不了效果。

又，你的「任性」也成為這種症狀的原因。由於無法克制自己，習慣於「不規則的生活」、「遇事現打主意」，逼得你實施不了有計劃的讀書方法。另一個原因是，拙於氣氛的轉變。

所謂「意志堅強的人」，通常都善於轉變氣氛。即使是討厭的功課，他也有辦法在學習方法上多方變化，轉變氣氛，從中尋出興趣，所以，不至於半途厭倦。

只要對學習活動感到有趣，無需特別使勁，也會興起「我要做得更多」、「就這樣停止未免可惜」的念頭，你說是不是？

設法把自己帶進那種境地，便是提高學習效率大秘訣之一。

●處　方

擬定最低水準的學習計劃，量不必多，但要養成每天持續的習慣——那怕一天只做十分鐘。你的內心經常蟠踞著：「我這個人就是做事無法持久」之類的自卑感。這種自卑感不太明確，但的確存在你的內心深處，所以，你必須至少擁有一種「持續不斷的事」，拿它做打破自卑感的利器。

衝過某個厚牆，你就沛然產生衝過另一堵厚牆的勇氣。採取這個辦法，逐日增強耐力，是最管用的一招。擬定學習計劃的時候要注意：

①切莫一次做大量的學習。要緊的是每天能夠持續，所以，不妨量少，分好幾次完成。

②不要長時間做同一種功課，莫忘了在適當的時候轉變學習內容，藉此常保勁

頭。

③多看淺顯易懂的課外讀物，或透過參觀、實驗、作業等方法，想辦法培養：「讀書真快樂」的觀念。

根據這個原則，把你每天的學習生活調整為有規則、有勁頭，不多久，耐力喪失症就霍然可癒。別小看「量小但要持久」的威力。想想，看參考書如果一天之內一口氣要讀十項，你會很快就厭倦，此後也很難提起興致看下去，要是一天那怕只看一頁，若能不中斷，一年裡就可以看完三百六十五頁，不也是很驚人嗎？所謂積沙成塔就是這個道理啊！

(3)給喪失信心的人——克服低潮第三訣

●症　狀

▲數學、英文考得不好，就大受衝擊，自認為：「我這個人絕不是學數學的料子」，或是：「我學語文的素質太差了，怎能跟別人較量？」

▲只看到同學的長處，產生「珠玉在側，覺我形穢」的心理。始終認為別人比自己強過數倍而坐立不安。

▲做什麼都先想：「我這種貨色，做了也不會有什麼效果，何必認真？」如此把自己關在破鑼破摔的心理境界。

▲凡事想到壞的一面，認為「運氣很背」而頹喪失志，悲觀不已。

▲對某一種學科失去信心，就舉目所見，皆不順眼。更以為那位老師始終盯著自己，所以，變得畏首畏尾，抬不了頭，好像一個慌不擇路的小偷。

如果有了這些症狀，就是患了「信心喪失症」。這種病狀一旦演變為慢性，就形成自卑感，在學校也好，在家裡也好，睡覺也好，你將時時刻刻給攪得懊惱攻心，片刻不得安寧。

●診　斷

你是不是常常拿別人的長處跟自己的短處比較，而認為自己是個一無是處的窩囊廢？

A會說一口流利的英語；B在上數學課的時候，對老師發出的任何難題，都能舉手回答；C的歌喉甚佳，上音樂課的時候，只要引吭高歌，人人傾聽忘我……。說到自己，英文不如A，數學不如B，歌喉不如C——如此這般，就把自己視為「窩囊廢」。平時就有這種「做什麼都無法跟別人相比」的不滿，時日一久，就會陷入低潮。又如，家人寄予莫大的期待，希望你：

「一定要考進某某大學。」

「學業成績非拿到前五名不可。」

心理上有這種壓力，就過份重視成績，對分數的升降特別敏感，成績稍微不理想，馬上就對自己失去信心。

●處　方

「這個也做得不好」，「那個也做得不好」只知把注意力如此集中到自己的缺點，無異跟自己過不去，你應該換個角度，多方尋出自己的優點。

「這種程度的事，我倒可以從容應付。」

「說起來我也有些長處呀！」

觀念如此一變，你就對自己漸生信心。要做到這樣，只要設法對某些事有把握就可。例如，幾何上有關「畢氏定理」的問題，絕對難不倒我；英文文法中的「關係詞」，我稍有信心等等。

切忌嫌少，一點一滴的逐日增加有自信的知識，然後，擴而大之，使某種學科一變而為「擅長的學科」，你就不再對別人的優點那麼欣羨不置了。因為，「我也有某些優點」的觀念，已經在你的心理產生安定作用，這種安定作用便是你「起飛」的第一步。由此可知，給自卑感纏得終日懊惱的人，切莫太焦慮而胡亂一把抓，合該傾注全力於某種學科，先使它成為你擅長的學科，這才是上上之策。

要達成這個目的，你得選購優良參考書，上課之前一直超前預習，如此一來，對老師講課的重點，不但瞭然於心，還會產生善性的「優越感」。

另外，對老師可別敬而遠之，要儘量逮住機會，跟老師多方接觸，多方討教。從老師那裡聽一些各學科的學習經驗，我敢保證你會獲得很多啟示，對你此後的學習活動，必定大有裨益。

要知道，「為了得到更好的分數」，或是「為了進大學」而讀書，是錯誤的觀念，你千萬別存著這種念頭。只要使擅長的部份逐日增加，實力大備，成績自然轉好，考進大學還會成問題嗎？

(4)給注意力不集中的人——克服低潮第四訣

●症　狀

▲做功課時，如果有人在旁邊說話，注意力馬上分散到那些人身上，再也無心看書。

▲受汽車、收音機聲音的影響，無法集中精神。

▲在削鉛筆、備妥筆記簿、找出教科書方面花費不少時間，等到萬事齊備，勁頭已經大減。

▲不斷做白日夢，無法用心看書。

▲上課時心緒不寧，一會兒跟同學嘰嘰喳喳，一會兒眼望窗外，無法聚精會神

地聽課。

▲不開收音機就無法做功課。

▲如果有了這些症狀，就是患了「精神散漫症」。

患這種症狀的人跟前面說的「信心喪失症」有點不同。他們中的大多數，連自己陷入低潮都昏然不覺，漫不經心的程度，由此可見。

例如，在教室裡老師提醒他說：「誰在那裡嘰嘰喳喳？快靜下來！」老師明明是說他，他以為老師是在說別人，還頻頻回頭看後面呢。

●診　斷

人在不安靜的環境中，最容易精神散漫，下面是幾個例子：

▲沒有獨立的功課房，常常受到弟妹們的干擾。

▲養成開電視或收音機才讀書的習慣，因此，缺乏這種條件，就無法專心看書。

▲住在商店街，四周吵雜，直到深夜。這當然會影響到讀書的情緒。

▲結交了貪玩的同學，經常做不了多久的功課，就有人跑來找他出去。

▲家進出的客人太多。

凡此種種，都會成為注意力不集中的原因。其實，進一步分析，這些刺激全都來自外界，只要自己意堅如石，當可把影響力限制在某個範圍內。

有些人稍有動靜立刻就精神散漫，有這種現象可說是病症嚴重，這是因為你的性格易受外界引誘的緣故，實在有必要捫心自省，力加克制。

獨生子或老么，頗多這種性格的人。從小嬌生慣養，所以，變得很任性，這都是環境造成的影響，這種影響又都是日積月累而來，要一掃其弊，還真不簡單。

●處　方

首先，你得整理一下置身其中而且力所能及的環境。書桌的四周，不要擺放足以引起注意力的東西（放那些東西等於故意要引起精神散漫症，愚蠢至極）。

譬如，牆壁上貼了影星圖照、將心愛物（PET）雜亂地擺在桌上，也會礙及做功課的效率。這些觀賞用的玩意，最好擺到客廳，書桌上除了正要讀書的書本和學用品，不見其他雜物，這是最理想的作法。

有些人，如果把書桌擺在窗口或牆根，注意力就不集中，那就不妨把書桌移到室內最中心的位置。根據研究的結果，這一招對集中精神相當有效。如果聲響吵人，就把聲源方向的門窗關好，或著耳孔塞入防音用的耳塞，也是一法。

除此之外，還得訓練自己集中注意力。端坐冥想，是個中佳法之一。由於身體的緊張刺激了腦神經，這就產生了注意力集中的效用。

又如，用功之前先出去散步；聽幾首悅耳的音樂；用熱呼呼的面巾擦擦臉……。也不妨想出一些類似祈福的行為，使情緒趨於和諧，在心無雜念、神爽氣清的狀態下開始做功課，這麼一來，你的注意力就不再飄浮不定了。

(5)給記憶力衰退的人——克服低潮第五訣

●症　狀

▲考試前背什麼就忘了什麼。

▲定期考試的時候，答案若現若隱，到頭來還是想不起來。

▲老是把英文單字忘記。

▲以前記過的公式，久不使用就忘得乾乾淨淨。

▲背誦為主的學科，成績漸走下坡。

如有這些症狀，就是發生了「記憶力衰退症」。

這種現象，絕少發生在小學生身上。國中一、二年級的時期，記憶力還是相當旺盛，可是，從國中三年級到高中一、二年級，這種記憶力衰亡的低潮現象，就大為盛行，原因到底在哪裡？

●診　斷

「記憶力衰退」並不是說，像老人那樣把剛聽過的事馬上忘淨（這是記憶機能衰弱的現象），以中學生而言，這是記憶技巧拙劣的結果。

只要學通科學的記憶方法，就可以輕鬆有效地每記不忘，因為，以你的年紀，頭腦的作用，絕不含糊，記憶力也不可能太差。所以說，別動不動就想：

「我的記憶力差人三截。」

「記憶為主的學科，我實在搞不過。」

為什麼小學生絕少患這種「記憶力衰退症？」

答案很簡單，小學的功課內容，以塡鴨式記憶就濟事者居多，而且，事關機械式的記憶，小學生可說是最為拿手（正值記憶的黃金時代）。不管對內容有沒有了解，他們總是記得多，記得牢。

從國中而高中，學科的內容日趨複雜，如果還想搬出機械式的記憶那一套，已經招架無力。中學時代，當以「合乎邏輯（根據理論）的記憶」為主。兩者的不同處就在這裡。也就是說，了解透徹之後才能記得牢，要是對某種複雜的問題，在莫名其義中硬加記憶，勢必應用無方。

從國中後半期到高一那段期間，你們正好走到「記憶方法的拐角」，處於非有變化不可的局面。這時候，如把記憶方法轉變成功，可以安然脫離「記憶力衰退症」。要是一仍舊慣，還靠著「呆讀死記」的方法，你的成績就只降不升了。

●處　方

你的記憶力會衰退，是因為不透徹了解內容就想死記的緣故。要化除這個困境，得把必須記憶的事項，多讀多想，了解其意，然後，將要點有系統地整理在筆記簿上，如此邊整理邊記憶，效果必彰。

如果遇到長文，與其一次記憶全部，不如分成數個部分，逐段解決，最後才把全文做綜合性的記憶。又，你也該檢討檢討，是不是只忙於「裝進」，忘了「搬出」、「發表」的作業？譬如，按照A、B、C的順序把英文單字背好，卻放著不使用，那就毫無意義。

只記不用，不忘了才怪。與其從事這種毫無效用的死背作業，不如把教科書或英文讀物中出現的單字，跟文章連絡一氣，反覆使用，記憶起來就不會那麼勞心勞神。拿數學的公式來說，如果不反覆使用，記憶力再強也很快就忘記，這跟腦筋是好是壞，沒什麼關聯。

從事記憶要趁身體不覺得疲倦的時候，效果才會大好。腦袋昏沉，四肢無力的時候，任你是天才，也無法記憶自如。

又，記憶的效率跟前面提過的「集中注意力」息息相關，如果邊聽收音機邊記憶，或在長時間做同一件事之後硬要記憶，可就事倍功半，徒耗精力了。

第26計　最後衝刺要使出「必勝四訣」

記憶力倍增的戰術（第一訣）

到了最後衝刺（考前總復習）的期間，你勢必在有限的時間內，記憶為龐大的知識，這個擔子，老實說，並不輕。

要記得牢，就要循著「妥切的路徑」（有規則地記憶）。一意亂闖是萬難生效的。記憶的妥切路徑，是指背念時合情入理的技巧而言。方法得宜，效果必彰，這是天經地義的事。下面我們就介紹個中秘訣。

●集中精神

首先，你要把精神集中在「必須記憶的事」。這時侯，你務必除去「我能不能把它們記住？」的不安感。保持自信，是絕對必要的。

又，用功時如果四周有騷擾性的聲音，對精神的集中大有妨礙，所以，必須求得家人的合作，或是等到入夜寂靜的時侯，才開始做記憶為主的功課。

一般來說，考試期間免不了情緒緊張，所以，集中精神就不如想像中那麼難。

●對重要事項傾力以赴

對考試範圍內所有的項目，一無遺漏地強記，可說是最不得要領的方法。

因此，你有必要把最常運用到的基本知識（也就是各科目的頂峰性要點），列為攻擊焦點，想辦法克服（牢記）它們。要增加背念的效率，就得具備分辨必要事項、次要事項的能力，然後根據這種判斷，對必要事項傾注全力，對無關大局的不必要事項，則斷然捨棄。

●抓住條理，按步而行

遁著一定的系統，循序而進的科目（例如，數理學科、社會科），必須把全盤性的條理烙記腦中。經此作業，任何細微的內容，到頭來都能一個接著一個地回憶出來（追溯法）。想把全盤性的條理很快地記憶，有必要將各科的要點，製成一覽表，或整理在筆記簿裡面。

●不厭其煩地重複一百遍

一聽「重複一百遍」，有些人或許大吃一驚，可要知道，記憶的秘訣除了不厭其煩地重複，別無快徑。任何字或單字，就算不重複百次，只要反覆個五次、十次，大致能記在腦中。又，與其長時間重複某種同樣的事，不如過了一定的時間就轉做其它的事，隔個半小時或一小時後又回到原先的地方，記憶效果會更好。

在記憶其他項目的時候，如果遇到跟原先記憶的知識有所關聯的項目，印象會特別深，這就大大減少倦於練習的危險性。不管如何，只要保持記憶的次數多於忘記的次數，記憶的東西就只增不減，這是極淺顯的道理。

●動員全身來記憶

記憶的時侯最好動動嘴，唸出聲音，或是邊唸邊寫，如此動員全身，效果就大增。幼童之所以能把不解其意的歌詞，朗誦出，是由於經常把同樣的歌詞，掛在嘴上的緣故。也就是說，這也是動員全身去背的結果。

在任何緊迫的情況下，你都別忘了動員全身去記憶的習慣。

徹夜用功的戰術（第二訣）

常言道：「每天必須睡足八小時」，或是說：「晚上十二點以後讀書，效率必然勢必減半。」這個戒律，意在告誡學生平時讀書應有原則。可要知道為了準備考試，通宵猛讀，就有它不能小看的威力。我必須強調的是，這一招如果用在必須使出應用能力、推理學科，難望有何宏效。

所以，考試時間公布之後，得把白天和晚間要準備的作業，劃分為二。記憶為主的科目，就把它們劃歸晚間來準備。

又，隔天如要考應用問題較多學科，考試前夕就不要熬夜。及早就寢，以便隔天可以精神充沛地拚鬥。這種作戰要領，不能不具備在身。說是熬夜用功，意思絕不是睡也不睡一下。真的整夜不闔眼，腦袋不昏昏沈沈那才是怪事。

你說，在那種情況下應試，誰不屢犯錯誤，功虧一簣?所以，我們有必要研究一套：既不會影響到隔天的精神，又能發揮最大效率的「徹夜用功妙法」。

實行這個方法，你要懂得「善於運用小睡」。也就是說，一天中的某個時候，必須熟睡個一兩小時。小睡的時間有下列三種：

①在前一天黃昏時分小睡一番。

②夜間十二點就寢，凌晨兩、三點即起。

③用功到早晨三、四點，然後睡到早餐時間。

你可以從這些方法中擇一而行。選擇的標準要放在：

①適合自己的體力和習慣。

②家庭環境所容許的方式。

③容易實行。

這裡說的小睡跟「打瞌睡」大異其趣。靠在椅子或伏在桌上打瞌睡，反而會增加疲勞感，所以，務必躺在床上，舒舒服服地熟睡——雖然時間不長，卻大有益處。睡覺之前，要請家人在規定的時間內把你喚醒。使用鬧鐘也是一法。

切記：小睡不能超過兩小時，一超過這個時限，除非睡個五、六小時，是不容易完全清醒過來的。

一起來就用冷水洗把臉，坐到椅子上，整理整理桌上的東西，如此動動身，睡意立消，精神就來了。採行小睡方式之後，你就不用再擔心睡眠時間是不是太少，大可放一百個心，從容開始你「徹夜用功」的戰術了。

以你們年輕人的體力，實行小睡一兩小時的方法，應可熬一兩次的夜。大不了在考完之後，狠狠地睡個大覺，補一補考試期間的睡眠不足，不就結了？

熬夜之時，如果睡意來襲，驅除的方法是：

①故意打個大呵欠。

②上一趟廁所。

③在房間內踱方步。

這樣設法動動身體，就很有效果。

又，「寒冷」可以成為一種刺激，使人睡意難生。所謂「頭冷腳熱」，最能提神，上半身讓它有點冷意，腰部以下裹了毛毯，腳尖放個熱水袋，冬天如此熬夜用功，效果必大。不過，用功而覺得太冷就足以影響效率，所以，應該配合自己的體質，想出適當的保暖法。在過度暖和的環境下熬夜用功，腦筋反而無法保持清醒，可見冷、暖必須得宜，否則效果難期。

有效補腦的飲食戰術（第三訣）

為了在歷時數天、數週的最後衝刺期間，使頭腦經得起磨耗，效率也絲毫不減，那就要注意飲食得宜。能夠讓頭腦維持這種狀況，該採行怎樣的飲食戰術呢？

●頭腦也是身體的一部份

為了維持腦筋的靈活，首要之務是常保身心健康。頭腦也是身體的一部份，要是胡亂吃撐了，胃腸的負擔加重（消化器官有了毛病），頭腦的運用能力當然也大受影響。

反過來說，如果餓得肚腸爺大打群架，消化器官就易受損害，對頭腦也會發生不良的影響。不只是消化器官，身體任何部位的不適，都會使頭腦的作用鈍化，效率大減，所以，與其只注重「使腦筋轉好的飲食」，不如養成絕不偏食（只要是家裡做的東西什麼都吃）的習慣，藉此攝取均勻的營養，維持全身的健康。

●考試準備期的飲食

吃些什麼才有助於提高讀書效率？

①吃零食、點心

回家後吃的零食、點心，不一定只限於餅干。只要你喜歡，大可內容不拘。喝些牛奶、果汁、茶之類的飲料，或是燙熱的糖湯，對消除疲勞都大有用處。不過，要注意量不能太多。

②晚餐

有些人對晚餐的時間，想得太認真。我認為，把時間調整在可以跟一家人同時進餐，是最理想的方法。拿考試做理由，跟家人分開，揀個適合你的時間，自個兒吃，這個方法看似有效率，其實，並不盡然。

原則上，擬定讀書時間表的時候，就該顧及能夠跟家人共進晚餐。飯後，跟家人在安祥和樂的氣氛中聊談，雖然為時短暫，比任何轉變氣氛的方法，有過之而無不及——請牢記這個事實。

③夜間的飲食

假設在下午六點吃了晚餐，如果用功到十二點或半夜一點，就必須再吃些東西。這時候應該吃些輕便而味道不太濃的東西。例如，乳酪、鹹餅干、牛奶、烤麵包、水果等等，要考慮自己健康情況和胃腸的消化作用，吃個「八分飽」即可。

深夜用功，當然也要注意到如何驅除睡意，可別為了睡意頻襲，就猛喝紅茶或咖啡，這個方法令人不敢恭維。如要喝茶，也未嘗不可，但喝就喝濃茶，量卻不能多，這樣倒有使你精神一振，眼睛大亮的效果。

預防和擊退感冒的戰術（第四訣）

容易感冒的原因，大致有下列四種：

①突然觸到寒冷的空氣，體溫發生不適應現象之時。

②疲勞過度或睡眠不足，抵抗力因而大減之時。

③營養不足，身體各器官的機能衰退之時。

④體質上容易發生扁桃腺炎，或是有慢性鼻疾之時。

這些都是一般常識。你要針對有礙讀書的項目，立下預防的對策。

●凡事避免過度

運動之後汗珠淋漓，由於沒把汗擦乾，不久就感到渾身寒冷；洗澡後馬上做功課，不多久就感到寒意襲人——我們常有這種經驗。這是因為接觸溫暖的空氣之後，突然又接觸了寒意，身體無法把體溫調節得宜的緣故。

遇到這種情況，最容易感冒，所以，務必小心。在最後衝刺的幾週內，最好避免做流汗特多的運動。又，前面也說過，徹夜用功，如果只限於兩天尚無礙，要是連續三天，不但讀書效率大降，身體的抵抗力也會猛減，變得容易感冒。切記：凡事都有個限度，不要太勉強，太過度。

●勵行漱口

有鼻、喉系統慢性病的人，很容易感冒，所以，在最後衝刺的緊要關頭，為了免於感冒的侵襲，我要奉勸他們「勵行漱口」。如果喉嚨發痛，或鼻子感到不適，就要及早看專科醫生，接受適當的診治，切莫拖延而礙了正事。

●不要接近患者

預防感冒最重要的，是切莫接近感冒患者。

患者咳嗽或打噴嚏之時，病毒四播，要是進了你的體內，你就染上感冒，這是感冒最常見的直接原因。所以，家族中的誰患了感冒，你就要小心防範。

又，上學途中，在擁擠的公車，或是電影院之類公共場所，都有感冒病菌飄浮空中，也要特別小心。有些人在考試前為了調劑身心，趕去看一場電影，其實，從防止感冒來說，這是最冒險的行為，還是不去為妙。

●感冒之後的讀書方法

所謂人算不如天算，雖然小心到了家，往往還會患感冒。萬一在最後衝刺這種重要的期間患了感冒，你該怎麼辦？

不斷打噴嚏，或是鼻水猛流——如果一發生初期感冒的這些症狀，你得立刻靜臥休息。這種輕度的症狀，往往不像一得病就發燒那一型的感冒受人注意，可要知道，這是感冒即將來臨的警訊，為了慎重其事，還是斷然休養為宜。

躺在床上養病，照樣可以用功。你就以一看即懂的科目為主（例如，國文、社會科），躺著看書。要是病狀較重（發燒之類），就暫停看書。

為了顧及發生這一類的變故，擬定考試計劃表之時，要定得稍有彈性（休息個一兩天也無礙大局），這才是聰明一等的作法。

在感冒初期如果及時吃些特效藥，往往霍然而癒，但是，有些藥就有催眠作用，事前要格外注意之。在「徹夜用功的戰術」裡也提過，身體健康的人，在略感冷意的房間用功，有益無害，要是有感冒的跡象，這一招就有害無益，你只有保暖得宜，躺下來好好休息的份了。

第27計　實施「三段式盡善準備法」

●你是「讀書隊」的選手兼教練

年末大考已經逼在眼前。若把考試當做季節性的球賽來說，你就是要在這次球賽出場的「各科的選手」，同時，也是訓練這個球隊在考試當天保持最佳競技狀態（TOP CONDITION）的「教練」。

如果你只是個選手，對自己喜歡的學科傾注全力就好，可是，你又身兼教練，所以，還得鼓勵劣弱的選手，讓他接受猛烈的練習，以便掙得高分。

又，選手以懶鬼居多，稍微放鬆就振振有詞地說：「反正，考試前幾天才加油也應付得了，有什麼好怕的？」之類的話，遲遲不肯從事準備工作。

一個「讀書隊」的教練，必須在考試前就擬好兩週前、一週前、三天前的三段式準備計劃，引導選手循著特定的時間表，從事有效的應考準備。如何擬定這種準備計劃？讓我們逐步討論吧。

●先分析過去的得分記錄

經驗豐富的教練，在擬定計劃之前，總是先從分析過去的得分記錄著手。

分析完畢，他就思考：「對哪一個選手施以哪一種訓練才會得到最佳效果？」這是因材施教的第一招。光是對每一科做均勻的猛烈用功，效果不會太好——這是屢見不鮮的經驗，當然不能重蹈其轍。

這兒說的得分（SCORE），是指新學年開始到目前為止，你在定期考試、臨時考試得到的成績而言。你必須把各次的得分，以簡單的曲線劃出「得分分析表」，使各科的成績，清清楚楚地呈現眼前。

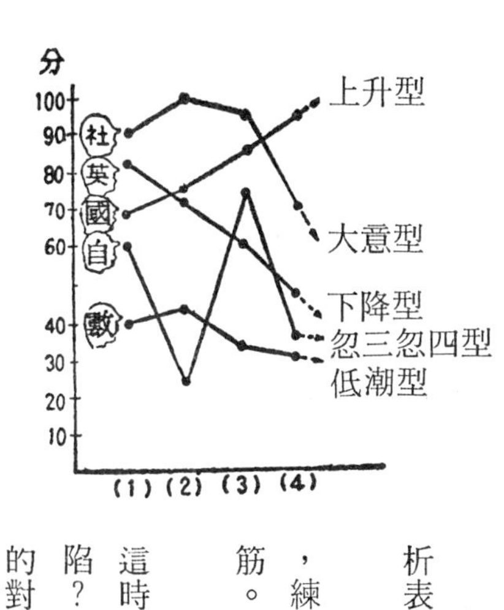

●攻、守均衡

如果你是這個「讀書隊」的教練，對這個分析表將做怎樣的判斷？

「國文」選手的成績，保持上升狀態，那麼，練習方法當然可以一仍舊慣，不必再動什麼腦筋。

「英文」選手情況太糟（成績逐次下降）。這時別人的成績轉好，或是自己的讀書方法有缺陷？這一點，必須做個檢討，然後擬出起死回生的對策來。

「社會」選手頭三次成績特佳，不知怎的，第四次就驟降，這是不是太大意而疏於戒備？

「自然」選手顯得沒準輒，而且成績最好的時候，得分也不怎麼高，這可能是練習方法質量不均的關係。

「數學」選手似乎陷入低潮，要把他的成績拉到其他學科的得分水準，得花些功夫。身為教練的你，必須特別用心照顧這個選手。

你要依照前面的方法，從「讀書隊」過去的成績，掌握住每個選手的狀況。掌握了選手的狀況後，為了培養這個「讀書隊」的防守能力（對基礎項目的總復習），以及攻擊能力（應用問題的練習），你得擬出一套攻、守皆佳的訓練計劃。

下面介紹的是「三段式盡善準備法」，你不妨做個參考，及早把你的「讀書隊」訓練成實力堅強，可以大發神威的隊伍。

第一階段：全部學科的總復習

第一個階段的實施期間，以考試前兩週為準，並把考試前十天，做為完成第一個階段的時限。

●從考試範圍以外的總復習開始

也許，有人會說：「考試不會出現的東西也要準備呀！這不是浪費時間嗎？」可要知道，年末大考是一學年的總決算，雖然以前學過的基本項目，不在這次考試的範圍內，但是，真正要理解這個學期學習的東西，還得回頭去復習以前學過的東西，否則，往往在知識上會發生無法銜接的現象。

有些學校，年末考試時並不劃定範圍（或是某些學科不劃定範圍）這麼做，老師才能測出學生真正的實力，學生為了應付它，自然就產生總體性的實力。

又，即使劃定範圍，是不是以前學過的問題就不會出現？這件事，誰也不敢打保票的，你說是不是？

拿數學來說，它是理論系統的學問，就像建築物的地基如果稀鬆如泥，稍一搖動就轟然崩潰，所以，年末的數學考試，老師都當做學生完全了解以前學過的東西來出題，這麼一來，下學期學過的東西是不用說了，連上學期的公式、定理都要大量運用。基於這個緣故，你就非把以前學過的知識牢牢掌握不可。

又，這次的考試，應用題的數量一定佔相當的比重。

應用問題必須發揮整個學年學習的知識，缺乏這種綜合能力，你將無由解答。對這些應用題束手無策的人，一定只準備了「考試範圍」內的問題，其餘則一概不管。方法不當，想獲得好成績，任你如何加油也等於枉費功夫。

●列出重要項目一覽表

有個問題務必說個清楚。

雖然必須對範圍之外的項目做個總復習，但是，有些人一定會想：「老師已經指定了範圍，我卻在範圍之外的地方忙得團團轉，豈不叫人忐忑不安？」

有人甚至想：「同學們都在範圍內大下功夫，都趕在我之前快完成準備工作了，我卻仍然留在範圍外的地方，如何是好？」（人人走在前面，我自個兒還留在後頭的焦慮感）。

是的，如果總復習的方法不當，你的確會給「丟下」。這可能是一般學生不願意在範圍之外做總復習的根本原因。

為了防止「給丟下」，你必須方法得當。第一個原則，是細小的問題不要一一復習。因為當你開始做範圍內的練習問題，準備的時間已經所剩無幾，甚至根本沒時間了，情況如此，豈不糟糕透頂。

「整個學年的總復習」要掌握四個原則：

①只復習基本的問題。

②速度要快。

③抓住「此後常用的公式」、「重要的說明」、「該科的入門知識」。

④已經徹底了解，或跟這次考試完全無關的項目，要毅然放棄（有選擇性的復習）。

為了便於記憶和應用，你要把重要項目列成一覽表，整理得一眼可以看出縱、橫的關聯。一覽表的形式，可以像長長的卷軸那樣，一張張接下去，也可以在一張大紙上，寫得滿滿的。

又，各自獨立的背記項目，可以使用卡片來記憶。如有前學期做過的一覽表和卡片，稍加改造就可以派上用場，善為運用，效果必佳。

第一個階段的準備工作，要把主力放在整理上，然後，將這些一覽表、卡片，在第二、三個階段時，拿出來，不時對照，這麼一來，每個重要項目就自自然然烙印腦中了。

●徹底消除疑問

現在，假定你完成了「整個學年的總復習」，目前已經進入這次考試範圍的復習階段。

此後的內容都是你記憶猶新的，重要項目是什麼，你也有個輪廓性的認識，所以，要在做好的一覽表後面，接上「考試範圍」的要點。

這時候，要特別注意的是一遇到疑問就立刻在那個地方做個記號（用紅筆畫個圈，或做個疑問號）。

然後，把這些疑問在學習小組研討會上提出來，跟同學彼此討論。一般而言，疑問事項大多是考試範圍內的「關鍵性問題」，如果以那些問題做中心，互相討論，對實力的增進必然大有作用。

自己認為了解的問題，經同學發問之後，無法扼要說明，這就表示對那個問題仍未徹底搞通，所以，利用學習小組，也可以發現自己的弱點。

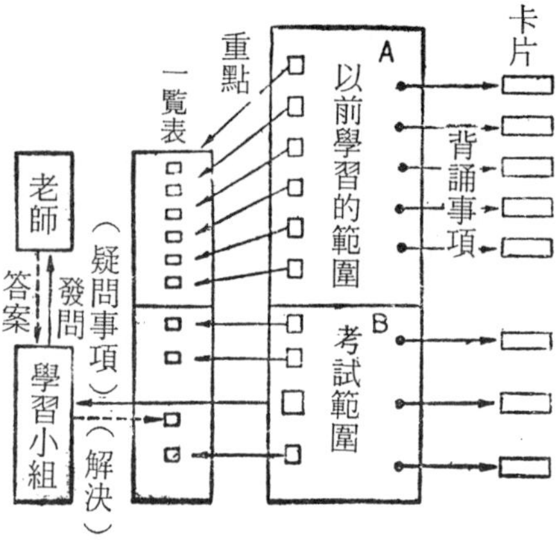

小組內如果發生爭論不決的事，與其大談歪理，不如立刻去找老師，請老師說明個一清二楚方休。

事關疑問項目，即使進入第二、三個階段，也得速戰速決，徹底化除疑問才罷手。把前面說過的第一個階段準備法，以圖解方式來表示，就如上表：

依照一般準備考試的方法，復習B就要復習到考試前夕才能勉強完成，何況，要在考前一週左右就讀完A、B，負擔不能不說相當沉重，所以，復習A、B的工作能夠提早就要儘量提早（愈早愈佳）。

第二階段：密集加強成績不佳的科目

第一個階段的準備，如果無法依照預定的時間完成，發生略有延遲的現象，就要暫時中斷（切莫拖進第二階段來完成），此後就視其必要才回頭，但是，B部份的重點復習，還是要繼續下去。

●重點放在練習問題

這個期間的重點應該放在「練習問題」，藉此培養應用能力。

數學、自然、社會等學科，可以使用各科問題集之類的書來練習。這時候莫把練習問題和基本項目割開，要邊解問題邊看以前做的一覽表，確認基本項目，或者解出應用某種基本項目的應用問題，更為加強你的理解度——如此不斷掌握「基本與應用」的關係，邊確認邊向前，這才是養成實力的法招。

國文、英文等學科，要以教科書、參考書為中心，反覆練習讀法、譯法、掌握大意的方法、掌握內容的方法等等。至少要在目標完成的三天前，練習兩次，藉此把整個範圍的內容完全搞通。

學年末的考試，往往也會出現大學入學考試那種程度的問題，所以，不妨把跟考試範圍有關的大學入學試題，也練習一下，當有一石二鳥的效果。

不過，這一招可別用在不擅長的學科。對不擅長的學科也搬出這一招，由於試題較深，只會加深自卑感，也會使你喪失鬥志，有百害而無一益。

●根據考試時間表擬定戰略

考試時間公佈之後，你必須按照時間表重擬作戰策略。因為，你要注意到：

①第一天和最後一天的考試科目，兩者的關係。

②考試期間是不是夾了星期天？

③擅長和不擅長科目的考試日期。

④考試範圍的多寡。

你要根據這些資料，考慮在哪些學科做密集式的加強工作。這種判斷，至為重要，千萬不可疏忽。

擬定作戰策略，方法該如何？這裡只介紹一般性的原則，細節就要根據各校的考試時間表，自擬具體的計劃了。

第一個原則：

考試時間表上排出的科目順序要相同。

第二個原則：

不擅長科目如果在同一天考試，必須分開在不同的日子裡，多花時間去準備。譬如，考試第一天的科目有代數和英文文法，兩者你都不擅長，這時候，你就要花兩天時間在代數，接著再花兩天準備英文文法。密集式加強的計劃，都要在這種原則下擬出來。

第三個原則：

擅長的科目至少要復習一次。

把準備的重點放在不擅長的科目，以至將時間全部耗盡，因而對擅長的科目瞄也不瞄一眼，這就容易馬前失蹄。

在考前一周，至少要對擅長的學科，也過目一次，使印象重現。

但，只復習不擅長的學科很容易厭膩，不妨像三明治那樣，立下把擅長的學科夾在其間的計劃，當可發揮更大的效果。

●征服不擅長學科和弱點的方法

征服不擅長的學科最重要的一招是：鞏固基礎。基礎不穩而猛看新的參考書，或是練習很難的問題集，老實說，一點好處也沒。

復習不擅長的科目，光是自習不會有立竿見影的效果，不如跟擅長那一科的同學一起用功，不時向他討教。

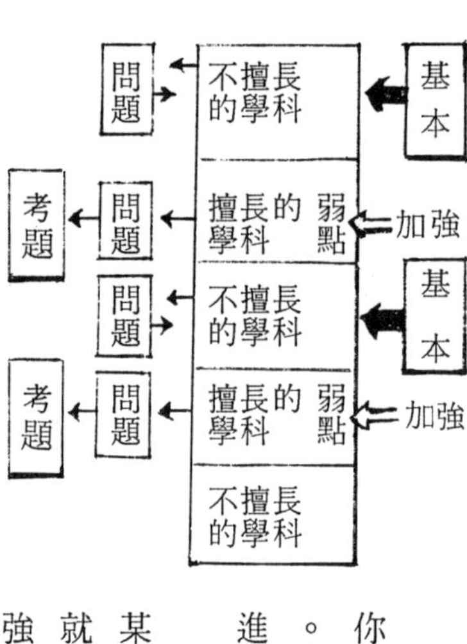

最理想的搭配，是對方不擅長的學科正是你擅長，如此一來，真個恰到好處，各有助益。事實上，就有很多人運用這一招，使成績大進的。

又，對某一科並非不擅長，但是，當中的某一部份是你感到最弱的，遇到這種情況，你就對了解的部份一瞄即過，只把精神集中在加強最弱的部份。

第三階段：各科重點總攻擊

離考試還有三天。這三天當中，考試前一天要把整天的準備時間分配給第一天考的科目（專背重要項目）。考試前三天和前兩天的全部準備時間，要分配給第二天考的科目（也是專背重要項目）。

如果第一天考的學科，負擔過重，就把那些學科的準備時間，分配在考試前三天和前一天（重複兩次）。

●百發百中的猜題技巧

你對老師的出題有過數次經驗，合該對出題的傾向略有了解。又，如果對考試範圍內的練習問題，也下過相當的功夫，當可略知哪些問題最有可能出現。

從來不認真用功，只憑第六感去猜題的方法，實在令人不敢恭維，要是徹底用功之後，來個「押題」，倒值得提倡。

猜題並非無路可循。下面是幾個「不中亦不遠」的方法。

①搜集過去的考題，研究教科書的哪些地方、哪些形式出得最多。如果採用小組研討的方式猜題，命中率就更高。

②在一覽表的基本項目上，把老師講得特別詳細，也曾經出題的部份，徹底檢核之後做個記號。記號多的地方，就是最有可能出現的題目了。

③不談考試會不會出來，只要自認為重要的地方，劃線記憶，同時，跟同學交換這方面的看法，事後你將發現試題大都跑不出那些範圍。

要猜題，最好是在對整個範圍完成總復習之後（考試前三天左右），猜好了就把那些問題做重點式的記憶，效果必佳。

●把整個體系烙印腦中

在第三個階段，必須做到把整個科目的體系牢牢地刻在腦中。

到達這個階段之前，已經復習多次，但是，有些地方是從從容容花了很多時間研讀，有些地方是輕描淡寫地倏然而過，所以，對整個內容之間的關聯，只是零零散散，沒有一體的觀念。

如果不把這些零零散散的知識，循著一定的順序，整理成一體，臨到考試，想派上用場，由於前後左右的關係不盡明白，辛苦研讀的東西也就無法活用自如。

怎樣把各科的體系烙印腦中？你要把以前整理的一覽表拿出來，專心地再看一次，設法將那些順序記在腦裡。記憶的時候，光用看是無法竟功的，至少要把其中的重要項目背好，寫在紙上。對大致的脈絡有所了解後，其他項目就只需要添枝加葉，不必那麼費勁便能記牢。

在腦裡放下這種縱橫交加的系統之網後，答題時即使遇到想不起來的東西，大可順著這個網線追溯記憶，不一會你就可以豁然而通，奮筆作答了。

對年表、地圖、公式表等，如果做過綜合性的整理，解題時也會發揮意想不到的回憶作用，所以，平時千萬不要忽略了這些作業。

●由近而遠的總攻擊

最後衝刺的階段最容易招致失敗的是什麼？那就是，循著考試範圍的順序，「由遠而近」地復習。這就容易起初很用心、很周密，可是愈往後復習密度愈稀，接著匆匆結束，發生抱著聽天由命的態度，等著考試的現象。

這還算是好的，有些人乾脆把後頭那部份省去，抱著「管他！」的態度應試，說來，未免太草率了。站在老師的立場，他們出題時總是偏向後面的部份，只要分析他們過去出題的傾向，你就知道此言非假。

因為，後面的部份以綜合性的知識居多，程度又高，出題率當然也隨著偏高。試題從後面出來的可能性較大，研讀時卻將一大把時間耗在前面，這不是反道而馳嗎?所以，在考試前三天，對重要項目做總攻擊時，必須一反常態，先讀最近學習的，然後一步步朝向遠處。

這麼一來就不愁時間不夠，也符合出題的傾向，可說是萬無一失。

考試前一天的背念方法，請各位活用「最後衝刺必勝四訣」中的「記憶力倍增戰術」。前一夜背過的東西，在考試當天早晨，至少要對重要項目再略加過目。

無法起得早的人，一定要把「一覽表」或「卡片」放在口袋，利用在公車上或在教室等著考試的時間，對重要項目做最後一次的復習。

考試那一天，一概避免背新的東西，或研究未知的問題。因為，對前一夜記住的事，即使充滿信心，往往一覺醒來就忘了，所以，還是趁來得及的時候，趕快復習，把它記牢，那才是最最要緊的事。

下面是第三階段準備方法的圖解：

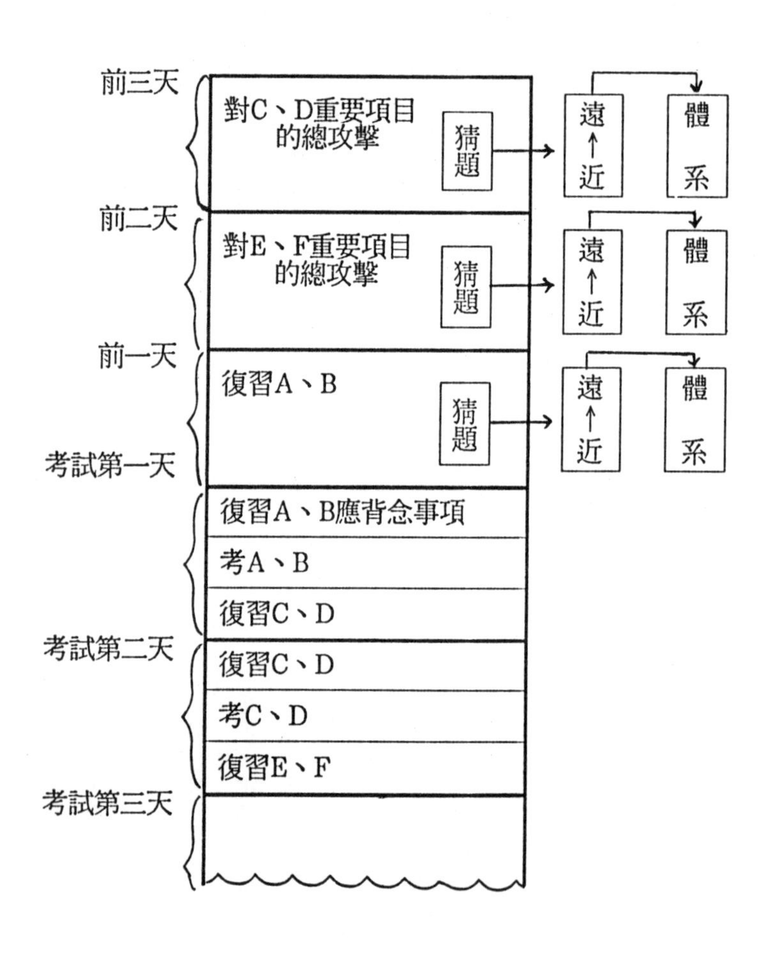
前三天
對C、D重要項目
的總攻擊
猜題
遠
↑
近
體
系
前二天
對E、F重要項目
的總攻擊
猜題
遠
↑
近
體
系
前一天
復習A、B
猜題
遠
↑
近
體
系
考試第一天
復習A、B應背念事項
考A、B
復習C、D
考試第二天
復習C、D
考C、D
復習E、F
考試第三天

第28計　善用「增強記憶八訣」

記憶力跟腦筋的好壞並沒有什麼相關。

話說回來，記憶力好，對學業成績卻大有影響。讀書缺不了記憶力，這倒是衆所公認的事。「記住什麼」的能力，跟「思考」、「判斷」、「推理」之類的能力相比，可就簡單多了。只要勤加練習，任何人的記憶都會有驚人的進步。

小孩子就是很好的例子。電視或收音機播放的主題歌或廣告歌曲，他們不是很快就朗朗上口嗎？

可是，這種記憶能力，在進入國中、高中後就逐漸衰退。這也無礙，你只要記下下面所說的「記憶技術」，不斷地練習，我敢保證你會變得巧於記憶，在考試的時候，發揮無比的威力，為你掙來好成績。

第一訣：驅除自卑感

膽子大、信心十足、愛說話、有小孩子天真爛漫的一面——這一型人，相比之下，比一般人善於記憶。相反的，羞怯、畏首畏尾、心事重重、自卑感很重的人，雖然有思考力，卻拙於記憶。

稍有自卑感，往往刺激一個人奮發圖成，但是，自卑感太強就有礙記憶功能。由於自以為「無法記住」，受這種心理的暗示，你就真的「無法記住」了。暗示的力量有多大，由此可見。你只要斷然捨棄羞怯、畏縮的觀念，使自己的心地變得更單純、更樂觀，記憶之門就永遠為你敞開。

你要告訴自己：「我的腦筋實在不差。」也許，你會反問：「這不是自欺欺人嗎？」這就錯了！我必須指出，就是自卑感在作祟你才對自己這樣毫無信心。

驅除自卑感，把它扭轉成優越感——這才是增強記憶力的第一個大秘訣。

第二訣：使印象立體化

記憶的時候不要光是眼到，還要口到（唸出來）、手到（寫出來）、心到（想出來）。靠「四到」使印象變得立體化。這就像新流行的立體音響那樣，容易使你留下強烈的印象，也會幫你把該記憶的事很快就刻在腦中。

譬如，要背DESERT（沙漠）這個單字，就得先看清楚它是由D-E-S-E-R-T等字拼成的，然後看「沙漠」二字，接著唸出它的發音，手呢，要在紙上把DESERT這個單字寫出來，腦裡同時想像沙漠的景色。

這樣做多面的記憶，它就比光看或光唸效果好得多。

第三訣：反覆之功

聽唱片學歌，由於反覆不斷，自然而然就牢記在腦中。記憶機能並不是什麼高等的機能，所以，看一眼就記住的人，少之又少。

你要把自己當成傻瓜那樣，把同一件事反覆不停地背唸練習，次數一多就成為習慣，嘴一唸，記憶的事就源源而出，手一動，自然而然就能把它寫出來。

長時間繼續同一件事，容易使人厭倦，所以，每次的量要少，次數要多，中間夾了休息的時間那就更有效果。

背長文的時侯要「第一次背第一頁，第二次背第一到第二頁，第三次背第一到第三頁」，採用這種回到開頭，再順著下來的方法，就效果倍增。

第四訣：抓住特徵

漫畫家只要三兩筆就把一個人勾畫得維妙維肖，有時候，甚至比相片更能傳神。這是因為漫畫家只把臉孔上的幾個特徵表現出來，把其他無關緊要的部份，徹底省略的緣故。記憶的時候可以套用這一招，只要把每一章節的「特徵」（要點）逮住，其他枝節也就可以自自然然追溯出來。

邊看書邊記住內容的時候，依照下面的順序搜尋重點，效果就會大大提高。

①先看題目，了解這一部分的內容到底是什麼。

②邊看內容邊想「重點在那裡？」

③發現要點就畫線做記號，或在上面的空白處把那些重點寫出來。

④最後，不看書試著背出那些重點。

第五訣：劃入某個類型

有系統地分門別類的東西，比較容易記住，背什麼的時候就可以活用這個方法。譬如，讀歷史就活用年表，把所有的項目都歸類到時代的範圍表；讀地理就活用地圖，把人文地理全都表現在地圖上。如此一來，極其細小的事也能輕鬆記牢。

又如，把教科書上的單元名稱、章節的順序（看目錄就瞭然），當做一覽表那樣記住，然後在這些表裡聯結其他細節，不管考試範圍有多廣，都能有條不紊地整理在腦中，隨時可以搬出來，供你驅遣。

第六訣：動腦筋「牽強附會」

譬如下面的數字，若是你，要用什麼方法來牢記？

$\sqrt{2}=1.41421356$　$\sqrt{3}=1.7320508$　$\sqrt{4}=2.2360679$

如果照那些數字賣力地記憶，即使現在記住了，八成過不了一天就忘得乾乾淨。你要對無意義的數字賦予某種意義（牽強附會，略有意義即可），它就不那麼那麼難背了。例如：

$\sqrt{2}=1.41421356$　改為（意思意思，阿姨散步了。）

$\sqrt{3}=1.7320508$　改為（儀器灑惡，淋哦，淋吧。）

$\sqrt{4}=2.2360679$　改為（哦，哦，山麓冷了，去久。）

由於牽強附會，不必太認真造句，只要改得便於記憶就好。最好改得俏皮一些，你就覺得好玩，記憶起來就很輕鬆。背英文單字也可以使用這一招。譬如：

把SHAME（丟臉）改成：「誠意無」，害我丟臉。

把REBUFF（斷然拒絕）改成：斷然拒絕那些傢伙到「力霸湖」。

化學元素、年代、特別難記的事，都可以運用這種牽強附會的方法來征服。你不妨動動腦筋，發揮想像力，造出有趣的句子，幫助你的記憶。

第七訣：運用聯想法

要記憶某種新事物的時候，如果將它扯到自己經驗過的事，或是身邊的事，就變得容易記牢。例如，「縣」是 PREFECTURE，學到這個字後，馬上聯想：「那，市的英文怎麼說？我記起來了，是 CITY 呀。鎮是 TOWN，村是 VILLAGE……」

如此這般，把同類性質的那一組單字，一一聯想出來，它們就形成一種鎖鏈，固定在腦裡，想忘也忘不了。

第八訣：「往腦外送」的練習

前面說的全是「往腦裡裝」的記憶技巧，而事關記憶，「往腦外送」也是不可缺的技巧，否則，往往難竟其功。怎樣做「往腦外送」的練習？方法很簡單，只要把記憶的事，以問題的形式發問，然後自行回答，或把答案寫在紙上。

例如，「東京大地震發生於一九二三年」，把這件事改成：「東京大地震發生在什麼時候？」的問題，然後自行回答。

又如，二次方程式「根」的公式是：

$$X=\frac{-b\pm\sqrt{b^2-4ac}}{2a}$$

你就把它改成：「二次方程式根的公式怎麼寫？」的問題，然後回答這個問題。不斷做這種「往腦外送」的練習，記憶效果必然大為提高。

第29計　精通「考滿分七大秘訣」

所謂考滿分，我的意思是儘量消除大大小小的錯誤，想盡辦法接近滿分。想想，得滿分的時候，何等風光？何等興奮？只要按照下面的方法做，你就可以夢想成真。

(1)對問題的含意不太清楚的時候

大家一定有過這樣的經驗：問題很長，乍看，真不知從何處著手。遇到這個景況，往往令人心焦氣浮，只顧「快快作答」，忽略了徹底了解所問何事，這就埋下得不到好成績的因素。

任何問題都由四個部分形成。

①解題的條件：解答不可缺的條件，一定全都包括在問題裡面。這個部分通常佔了最大的份量。

②發問事項：指這個問題所要問的事。例如，「證明A和B的關係」；「這句話的意思是什麼？」

③解題的規則：例如，「在正確的答案上畫圈」；「在空白方格中簡單列出答案」之類，這是解答時必須遵守的規則，違反這些規則，當然會扣分，所以，務必小心。

④寫答案的地方。

以上四個部分，最重要的是②：「發問事項」。只要掌握住它，就不至於弄不清「所問何事」而鑄成大錯。

總而言之，一接到考卷，你要想的絕不是「答案是什麼？」而是「問的是什麼？」一發現「問的是什麼？」，請多看它一次，以免有誤，如果沒有「考卷上不得做任何記號」的規定，你就立刻在發問事項下方劃線，加強印象。

(2)在作答中途給難住的時候

這都是急急忙忙作答才會發生的現象。

解題並沒有規定非從第一題解答不可，所以，你要按照下面的次序作答：

①自己覺得很容易的問題。

②以前做過的問題。

③又簡單又短的問題。

那些困難的、未知的、複雜的問題，要留到最後才慢慢去想。從時間上的分配上來說，有自信的問題在一半的時間內完成，然後運用剩下的時間，跟難題從容拚鬥，你就不至於慘敗下場。

通常，試題的難易，不會懸殊過甚，所以，先選容易的問題作答，儘量多撈分數，再做道理。

又，看似容易，寫到半途才發現給困住，遇到這樣的問題，你得斷然放棄，趕快改做其他問題，直到最後還有剩餘的時間，才回過頭來解決它。

(3) 一時想不起的時候

「真氣人，那個單字的拚法是……唉，明明記得，都跑到喉嚨口來了，偏是說不出來，真是的！」這是考場常見的現象。

遇到一時想不起的問題，別把注意力集中在這個目標，要改個道，繞個彎，從跟題目有關的項目開始回想。這個繞個彎的方式，往往會使你在刹那之間，憶起你在苦苦搜尋的目標。

例如，忘了「秋天」的英語，就想：「春天是 SPRING，夏天是 SUMMER，冬天是 WINTER……，那麼秋天是……啊，記起來了，是 AUTUMN呀。」這樣從四周窮追過去，目標就不難倏然顯現。

要使這個方法成功，平時就要把有關的項目縱橫交錯，造成一種牢不可破的感應結（一想起那個，就想起這個，這叫做「感應結」）。

又，回想跟這個目標有過接觸的情況，也是一法，譬如：

教科書上有關這件事的敍述；筆記簿上有關這件事的記錄；老師講這件事時候的內容；跟朋友談過這件事的經過……等等，只要從這些接觸的情況中的某一種，引出藏有答案的啟示，問題就迎刃而解了。

(4) 當你遇到全然不懂的應用題

碰到這種情況，可別洩氣，或心頭涼了半截，人都快昏了。你要鎮定不亂，這是必須遵守的第一個原則。

中學程度的試題，絕不可能出現「從來未見，從來未聞」的問題。不，雖然未曾看過，類似的問題你應該曾經看過，又，跟那個問題有關的基本項目，必定在教科書上也出現過——這是比較持平的說法。

所以，碰到這種完全不知的問題，你首先要想：「這一題，跟已經學過的哪一種事有關係？」最好的方法，是平時背好教科書的目錄，臨到這個情況就在腦裡把目錄逐條回憶，從中尋出解題之鑰。

解題之鑰一出現，當可循線作答，渡此難關。

數學、自然等學科，如把公式一覽表、中外歷史年表、塡了人文地理資料的地圖之類的東西，做過綜合性的記憶，陷入困境時，必能成為你突圍致勝的利器。

⑸當你為二中擇一而迷惑

「請寫出下面我唸的話：ㄋㄢˊ ㄊㄧˊ ㄐㄧㄝˇ ㄐㄩㄝˊ ˙ㄌㄜ。」

當有人這樣考你，你會認為：「這有什麼難？」立刻在紙上寫出「難題解決了」這五個字。

可是，假定寫下「解決」後，忽然覺得：

咦？是『解結』，不是『解決』吧？」疑問一起，你就顯得大感迷惑，不敢立下結論。「糟糕，是『解決』，還是『解結』呢？看來兩者都正確，怎麼辦？」

——考試的時候，你是不是常常遇到這種現象？為二中擇一而大感迷惑時，一般而言，「最先想起的才是正確的答案」。此話怎說？

當我們記住了某件事，要想起它的時候，它就自自然然順著經常練習的習慣跑出來。我們常常掛在嘴上或常常那樣寫的習慣，在有所必要時，總是一下子就浮現腦海。所以，拿剛才的例子來說，一聽「ㄐㄧㄝ ㄐㄩㄝ」就毫不困難地寫出「解決」，是因為平時積了那樣寫的習慣，使你筆一揮就寫出正確的字來。我們由此可以判斷，最先想起的「解決」，一定是正確的。

緊接著想起的另一個答案，牽強附會的可能性較大，所以，不大可信（這是心理專家研究的結論）。

當然，運用這一招，先決條件是：「平時就要反覆練習，牢記正確的知識。」俗語說：「與其學習，不如習慣。」這句話指出了讀書的秘訣之一：知識要不斷復習，直至滾瓜爛熟，否則難展其威。

(6)答案無法寫得條理井然的時候

前面也說過，解題的關鍵在於先弄清楚「問的是什麼？」拿射箭來做譬喻，它是箭靶。把答案的箭，射向的箭靶，這就是考試。就算寫得整齊，寫得多，如果答非所問，你就無法獲得滿分。

當你作答，可別操之過急，一動筆就填進解答欄。你要先確認解題所需的必要條件是什麼。

譬如，翻譯英文之類的問題，就要先從知道的部分逐一譯出，然後再思考如何把它們銜接起來。

經這一段過程之後，才在解答欄慎重填入，這麼一來，就不會發生「漏掉重要的部分」、「文意不通」之類的失敗。

也許，有人會說：「這怎麼行？時間不夠呀！」你錯了。考試的時候，真正耗在「寫」的時間並不多，絕大部分的時間是花在下面兩件事：

①好好掌握問題的意思。

②思考和整理答案。

容我再次強調：解題時一定要把大部分時間耗在前面這兩件事，否則，本末倒置，你就一敗塗地，悔恨莫名。不但是考試，平時做練習問題，也要遵照這些要領練習，養成牢不可破的習慣才好。

(7)試題大致寫完的時候

有些人在考試的時候，很快就寫好，而且很快就離開教室。如有不准提早離開的規定，他們就在答案紙背後，胡亂畫畫，或是仰望天花板，猛打哈欠，一副等不及離開的模樣。

在同一間教室，還抓頭摸腮，搜索枯腸，緊張兮兮地忙著做答的人來說，這些

「快速派」的人，看似「準備充分，成績必佳」，其實，這些人就會犯很多不該犯的錯誤，得分也不一定高。

試題大致寫完，你就該從頭檢查一次，注意到：

①有沒有看錯了問題的意思？

②問題中的已知事項，是不是運用無誤？

③有沒有違反解答的規則？

④答案是不是「答其所問」，沒有一點偏差？

⑤有沒有寫錯字或別字？

⑥是不是遺漏了什麼？算錯了什麼？

根據這些原則，在時間許可之下，不斷地檢查答案，你一定還會找出某些小錯誤，只要立加改正，不就多得五分、十分？但願各位讀者充分活用上面所說的「考滿分七大秘訣」在下次考試，大顯身手，贏得優異的成績。

第30計　認清有助記憶的五個條件

一般人以為：「記憶力強的人，腦筋也很聰明」，「容易忘記，是因為腦筋太笨的緣故」。拿記憶力好壞做為評斷聰不聰明的標準，似乎是社會上慣見的方法。記憶力是天生的？還是經過努力可以大大增強？

下結論之前，我們不妨對專家發表過的，有關「記憶的真相」做個了解。當我們「記憶某件事」，意思是說，從外界來的信號，經從神經傳到大腦，然後，在腦神經細胞上刻劃了某種「痕跡」。

如果那一邊「痕跡」刻劃得不怎麼清晰，由於外界的信號，紛至沓來，那一邊「痕跡」就會消失無蹤。所謂的「忘了」，就是指這個現象而言。

「痕跡」有它的特性，那就是，太簡單就容易消失，要是跟各處的神經細胞相連，結成複雜的組合，那就不易消失。尤其是經常使用的「痕跡」，就給刻劃得愈來愈深，想忘記都不可能。

由此可知，記憶力與其說是決定於腦筋的好壞，不如說決定於「如何運用腦筋」。總而言之，記憶力大進的關鍵之鑰，在於「如何在腦細胞上刻劃出清晰的『痕跡』」。幫助記憶有五個條件，認淸它們，你才會有拔群的記憶力。下面我們就來研究這個問題。

(1)不要長時間做同樣的事

某種你愛吃的東西，如果從早吃到晚，也會厭膩而食慾盡失。流行歌也一樣，起初，還覺得新鮮可喜。但是，電視、電台日以繼夜地播放之後，到頭來，一聽那首歌就令人頭痛欲裂。學習活動中也有類似的現象。

如果長時間只做同樣的功課，不但身心俱疲，記憶力也會大減。

譬如，打算背數學的公式集，對起初的數條公式，難免有些抗拒感，但是，頭腦習慣之後就愈背愈順。

要是一直背下去，時間一久，效率漸降，腦袋也昏沉沉，任你如何用心，也是無法記住。這種現象人人會有，它並不表示你的腦筋奇差。

人類的頭腦有個特性：同樣的刺激，不斷進來，就發現彼此衝撞、阻撓、混合的現象，造成妨礙理解的結果。防此現象，最好的方法是轉變氣氛，調劑身心，或是稍事休息。又，要背同一類的事，如能屢改方法，並且把一天要背的份量，斷然減少，也相當管用。

研讀同樣的學科，到底持續幾小時最為妥切，不能一概而論，大致說來，擅長的學科以兩小時為宜，不擅長的學科當以三十分到一小時為宜。

(2)記憶之後的學習方法跟忘記的情況有關

我們知道長時間做同樣的學科，學習效率就大減，既然如此，就有必要把每天研讀的時間適當的劃分，將不同學科分散在這些時間裏。

當我們做完某種學科的記憶工作，接下去該怎麼做？有關這個問題，不少學者做過實驗，結論是：「記憶之後，不做任何事，最有確保記憶之效。」

這就是說，「呼呼大睡最好」。對懶惰鬼來說，這倒是天大的好消息。

話說回來，如果記住了什麼就蒙頭而睡，一大堆未做的功課，豈不是要放在一邊了？這，顯然不行。於是，學者又研究出一招，那就是：

「改做性質儘量相異的學科，記憶效果就不至於受到大害。」

譬如，練習英語，在作文之後研讀文法；練習國文，在古文之後研讀白話文——這種配合最為不當，方法最拙劣。

在前面的研讀時間和後面的研讀時間之中，夾進十到十五分的休息時間；前面研讀的學科和後面研讀的學科，研讀方式必須有所改變——這種儘量使前後的學習內容不混淆的方法，應該多多利用，才有助於記憶。

(3)緊張的程度跟記憶的效率有關

有個學校曾經調查過座位和成績的關係，發現坐在前面的學生，他們的成績比後排的要好。

坐在後排的人，聽不清老師的話，黑板上的字也較難辨認，這可能是他們的成績之所以較差的原因。無論如何，前排的學生由於「跟老師最接近」，緊張感就給了頭腦一種刺激，使他們的成績比後排的同學要好，這似乎是無可否認的事實。

外國學校也做過這方面的實驗。先向A班預告說：「下一週要舉行考試。」然後，臨時藉故取消。另外，也向B班說要考試，但沒說出日期。一天，就在同一時間，以同樣的考題A、B兩班，結果是A班的成績比B班較差。

這是因為A班由於考試臨時取消，精神為之鬆懈，記憶的東西也很快就模糊了。B班由於一直處於「就要考試了」的緊張狀態，腦細胞的記憶「痕跡」未曾稍退，考起成績當然好過A班。

這種緊張狀態，叫做「學習意願」。沒有「非把它記住不可」的念頭，腦裡就無法產生使某一種知識「定著」的力量。所以，早就決定考哪個大學的人，跟遲遲未做決定的人，即使能力相等，記憶作用卻有很大的差別。

又如，跟同學組成讀書小組，做善性的競爭，或者把模擬考做目標而用功的人，他們的記憶力都會超出別人多多。想辦法輕輕鬆鬆用功，或躲在旁人看不見的地方，偷偷用功，由於毫無緊張感，效果就會差一大截。

(4)設法對必須記憶的事發生興趣

有關遠足的快樂回憶，或是社團活動有趣的事，總是令人歷久不忘。由於有趣，所以，不時想起來，由於不時想起來，所以，大腦裡面的「痕跡」就愈來愈深——「發生興趣」，就這樣成為有助記憶的條件之一。

對感到有趣的知識，或是擅長的學科，總是記得快，都是「興趣」在支撐記憶的緣故。與此相反，如果在氣憤、憂心之類不愉快情緒之下學習，已經記牢的體系也會給攪得一片零亂，很快就忘了。

話是這麼說，沒有一樣學習活動是馬上就令人興致盎然的，有時候，有必要忍耐一段時期，直到實力漸增，才會對「專門性的知識」產生興趣，對「開拓未知」產生興趣。進到這個境地那就好辦了，因為，舉目所見，全是興致淋漓的事，這麼一來，不必那麼耗神就可以把有關的知識記牢。

各位不妨多想出突破「興趣障礙物」的方法。

為了培養興趣，別只在教科書上磨時間。你可以利用圖書館，多看課外讀物，把其中的要點記在閱讀筆記，或是請老師選出有益的參考書，每天看幾頁（從不間斷），這樣多方下功夫，保證宏效可期。

(5)調整身體狀況和環境

前面說過，記憶的過程是外界來的信號刺激了腦細胞，在上面刻下某種「痕跡」的結果。那麽，跟記憶無關的其他信號，同時送達大腦的時候，到底會產生怎樣的現象？我們可以想像到，在那種情況下，記憶作用必遭干擾，記憶的「痕跡」也會一片凌亂。

汽車聲令人發昏啦，說話聲令人三心兩意啦，這時候，我們就說：「無法集中精神來用功。」

其實，這就是又多又雜的信號，透過耳眼，傳到腦細胞，對記憶這個微妙的機能產生干擾的結果。這是妨礙記憶的信號來自外界的例子，另外從自己身體的內部，也會產生此類干擾的信號。大腦的機能受到這種干擾，就失去穩定性，記憶作用也隨著大大降低。另外，身體某部若發生異常，即使本身無所自覺，我們的頭腦卻能夠敏感地反應，逼得大腦機能大為減弱。所以，從事記憶為主的學習，務必使身體保持正常狀態方可。

第31計　驅使「快速記憶三法」

(1)科學記憶法

●請「關聯先生」出場

談到「記憶法」，中學生最感到頭痛的，當推「英文單字的背誦」。絕大部分的人，打算把英文單字按字母序列，一一背好，於是，抓來辭典或參考書，興致沖沖從第一頁啃下去。哪知，只背了幾頁，前面的單字早就「形歸烏有」。

又如，在卡片正面填單字，背面寫譯文，日夜捧著它，猛唸猛背，可是，臨到考試，才發現「百無一用」而垂頭喪氣。

這些「慘痛的經驗」，想必各位都記憶猶新。

背單字要使出科學性的妙法。在背的時候，你應該先查一查那個單字的「語幹」(又稱詞幹，語尾變化詞的不變化部分)、成語、同義語、反義語、派生詞，使那個單字跟它們發生多種關聯，否則，很難記得快，記得牢。

除了英文之外，如要記憶片斷而不搶眼的知識，務必抓住特徵，儘量使它跟其他事項發生關聯。如此一來，印象就特別深刻，即使稍微忘了，也能夠立時想起來。

●請「要點先生」出場

背長文該怎麼辦？把每一句話記住，最後把全文聯接起來——這個方法，耗時耗力，勞而無功，千萬不能用。與其這樣耗時耗力，不如把整個內容做一次重點式的整理，只抓住要點來記憶。

寫文章的時候，善於使用「總而言之」，「結論是……」之類寫法的人，大致說來，都是記憶力超群，因為，他懂得抓住要點來論述。

一篇文章裡面，如有好幾項重點，就以分門別類的方法抓住要點，使內容不至於顯得太複雜。

一般中學程度的學習內容，每一個項目的要點，頂多是五個左右而已，做個重點式的整理，並不太難。如何確切地抓住要點？

①看完一章，就在空白處，或在筆記簿上寫出要點，只要不斷做這樣的練習，你很快就精於此道的。

②教科書上的小題或粗體字，大部分是那一段內容的要點，看的時候只要特別用心，自自然然就把要點烙印腦中。

●請「系列先生」出場

我們四周有很多所謂「○○的權威」、「專家都要嚇跑的研究家」之類的人。

譬如，只要是汽車，不管年代多久，他就有辦法說出「這是幾年型、什麼牌的汽車」，而且每猜必中。

又如，只聽鳥聲就能說出鳥的名稱；對全國火車站的名稱，無不記得爛熟……。這些人之所以能夠做到這種地步，是因為在腦中裝了一套有關那些事的系列圖使然。

當他又吸收了新知識，立刻把它扯進系列中最適當的處所，使之牢牢結合。只要不把系列忘記，事關記憶，總是比別人快數倍，而且每記不忘。

在學習過程中，如果各科的系列還未組合好，同樣是拼命記憶，勢必付出相當的時間和毅力，可是，對學科的定理之類知識，若有某個程度的了解，就可以輕鬆記憶，成績也日漸上升。

組合學科的系列當然不是一朝一夕就能完成，不過，平時就超前預習，對全盤性的內容有個預估，或者把學過的內容化成一覽表，使之一目瞭然。累積這種功夫，不知不覺中「系列」的整理工作就大功告成了。

●請「理由生先」出場

因數分解中不是有下面這一條基本公式嗎？

$$a^2 \pm 2ab + b^2 = (a \pm b)^2$$

這個公式只要把右邊的乘法算一下，左邊的算式立刻就算得出來。要是對右邊的算法一無所知，而打算把整條公式死記，豈不累人？對「之所以如此」的理由一清二楚的時候，記憶起來就有事半功倍之效。

反過來說，如果對「之所以如此的理由」昏然不知，而勉強記憶，到頭來，不是很快就忘記，就是屢犯不該犯的錯誤。

這就是說，學習當中，一開始就把「之所以如此的理由」充分了解，之後，才正確記憶，就成了很重要的事。遇到曖昧不清的問題，就該向老師發問，直至完全明白為止，或者跟同學一起研討，弄個水落石出之後才把它記住。

「因為這樣，所以變成這樣」，把癥結性的理由如此牢牢抓住，日後，即使把細節稍微忘了，重點卻絕不會發生差錯。主幹屹立不動，樹是不會倒下的。

(2)聯想記憶法

●請「體驗先生」出場

碰到初見面的人，我們經常會想：

「咦？這個人跟某某（譬如，英國首相）很像呀！」

這時候，你不但注意到「很像」的部分，也會對「不太像」的部分來個比較（例如，鼻子較低，眼睛較小）。

記憶也一樣，如把必須記住的新知識，跟自己體驗過的事扯在一起——喚起聯想——效果之大，至為驚人。例如：

「這件事不是在某某單元裡學過嗎？」

「那本書也提過這件事呀！」

「這不就是以前參觀過的嗎？」

使看過、聽過、學過的事，跟新知識發生某種關聯，換起自己的體驗，記憶起來就顯得特別不費事。

又，把該記住的新知識跟自己四周的事，聯結一氣，也一樣大有效果。

例如，看報紙上的氣象欄，如果寫著：「天氣趨於正常」，你就試著用英文唸出來：

"The weather seems to have setted now."

想著「出現雲了」你就唸說：

"Coluds are gathering."

這樣善於應用，就能有趣地牢記那些英文。

●請「比較先生」出場

假定有人說：

「最近有 DEFLATION（物價下跌）的傾向。」

你就馬上想：

「DEFLATION跟INFLATION（通貨膨脹）到底有什麼不同？」

立刻聯想到相反的事，然後，將兩者做一番比較，這一招，對記憶的幫助，非同小可。想記住A朝代的行政組織，可以跟B朝代的行政組織相互比較，再學到C朝代的行政組織，就拿C來跟A、B比較。

此類內容極為相似，或容易錯誤，或知其一就可以藉聯想力知其另一的知識，最好搬出「相互比較」的方法，把兩種知識同時記住。

我們天天忙於應付不斷出現的新知識，因而忽略了「停下來鳥瞰整個情勢」的方法。要是養成這個習慣，不時對四周的種種多瞄一眼，拿它們跟剛學的知識做個比較，記憶必定又正確，又能大發神威。

●請「順序先生」出場

靠聯想記憶的時候，不要死板板地跟直接有關的事結合。將你要記憶的事，整理在特定的順序或「框」（範圍）裡面，湊在一起，放進腦中，那就「每憶必現」。例如，下面是我們日常使用的錢幣面額的種類：

50　1　1000　500　5　100　10

如果照右邊的順序強記，不馬上忘記那才怪（即使記住了，也很累人）。

要是把它改成：

1　5　10　50　100　500　1000

這樣的順序，誰都可以「過目不忘」的。學習上，便於記憶的順序或「框」（範圍），是以時間和空間為主。時間為主的方法，大多可以在社會科方面多所運用。把知識和年表結合一氣，便是很好的例子。

又，數理方面也可以依照順序，把各種知識做有系統的整理，這也是時間為主的方法之一。

空間為主的，當以人文地理方面的知識居多。把各種有關的知識，布署於地圖上以便記憶，或是以圖解的方式，將它記住。凡此種種，都可以在日常的學習活動上，大加運用。

●請「翻譯先生」出場

有些商店做廣告時，把電話號碼改成一唸就記牢的「翻譯的話」，這是很聰明的一招。譬如，八八一〇四九六這個電話號碼不容易記住，如果改成「爸爸一拎事就了」，不就很好記了嗎？這才是真正的「事就了」呢。

記憶數字，例如，年代、重量、日期之類，先把它「翻譯成有意義的句子」，記憶起來就輕鬆有趣，效率大增。

必須注意的是不要太走火入魔。「翻譯」得太牽強附會，反而會使聯想陷入混亂，那就本末倒置了。

運用這一招，應該只限於「經常使用而極容易忘記」的項目，「翻譯」時要儘量使用淺顯易記的句子。

(3)反覆記憶法

●請「次數先生」出場

美國一位詹姆士先生說過：「游泳在冬天之內進步，溜冰在夏天之內進步。」意思是說，某種運動如果適當地設個「冷凍期」之後再練習，往往變得比前大有進步。在學習活動中，大可搬出這一招來運用。

想耗費長時間一口氣把某種功課做好而做反覆練習，它的效果絕對不比「時間短，次數多，中間還夾些休息時間」的方法來得高。

適當的休息時間至為重要。好比說，你要背英文單字，千萬別採用「今天之內一定把它們記住」的方法。

當天練習數次之後，明天再練習數次，已經記熟的部分，就換上幾個新單字，下一天再反覆練習。用這個方法，直至全部背完為止。

又，一天裡若打算耗用一小時來記憶某種知識，你得分成兩次或三次來記憶，這種效果遠比連續一小時要高得多。

●請「總結先生」出場

我們通常都在早晨看報紙，看後不久，哪一版刊了什麼消息、什麼照片，都能立刻想起來。

可是，到了黃昏時分，自己覺得有趣的部分，仍然記得，其他拉拉雜雜的記事八成都忘了。一週後，若有人問你：「前星期一的報紙，刊了些什麼消息？」除非是聳人聽聞的事件，你就頗難想起。

這種現象並不限於報紙，專家已經對這個現象做過實驗，他們的結論是：「凡是新學習的事，時間一久就給忘記。」忘記的情況，據說，在學習的一小時前後最為顯著，而後是緩緩而忘。

這就是說，學習活動告一段落之後，務必趁還沒全部忘淨，趕緊把重點反覆記憶，以免發生徹底遺忘的現象。

●請「表現先生」出場

考試的時候常常發生下面的現象：作答之時，答案若隱若現，苦於抓不住它，可是，鈴聲一響，交出考卷，那些答案卻在那個時侯，立刻浮現腦際（很氣人，是不是？）

應付考試，光是對一大堆知識「了解透徹」，還是會馬前失蹄的。你必須把「了解透徹」的事，常常搬出來，以「話語」或「文章」來「表現」，否則，經常會遇到前面說的，啼笑皆非的事。

記憶之後，要以「發問」的方式，向自己提出問題，然後自己作答。藉這種「表現」，鞏固記憶的知識，否則，你就不算「徹底了解它」。

●請「隔久先生」出場

細微事項的記憶，可以運用前面說過的好多方法，如果對複雜事項想做個綜合的記憶，卻有必要另闢途徑。

例如，看完電影後，馬上要使你說出故事的內容，往往無法暢所欲言（不容易抓牢情節的變化）。可是，隔兩三天之後，你就對故事的整個要點有了更清晰的印象，說起來就順順利利，精彩之至。

同理，要把某種複雜的事，做個綜合性的記憶，最好先記一次，然後，隔一段較長的時間，再去記憶。隔一段時間的用意，是把那複雜事項，在那一段期間，透過腦細胞的作用，成為井然有序的體系，以便記憶。

因為，時間太短，腦細胞就來不及造出井然有序的體系，只有隔一段時日，它才能綽綽有餘地從事這項工作。

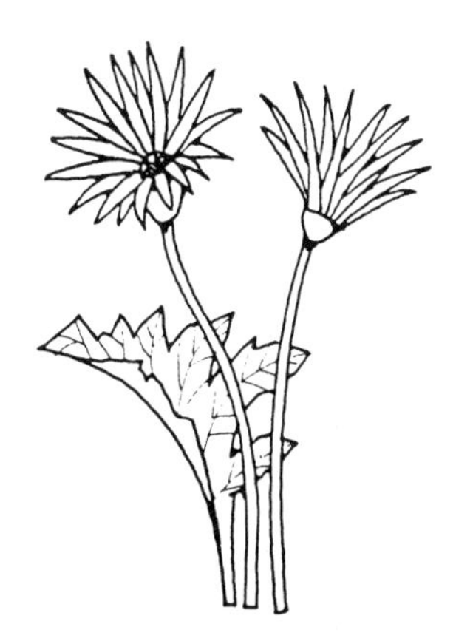

第32計 運用「有效的圖表學習法」

(1)為什麼圖表學習法宏效可期？

我們去旅行的時侯，常常看到這樣的標誌。

誰都一眼就看出這個標誌的意思是：

「從這一條路往前走，就要向右拐彎，然後向左拐彎。」要不是用這種一目瞭然的標誌，換上文字的解釋，你說，從快駛中的汽車裡看去，能夠了解它的意思嗎？

同理，在學習活動中，如果善用圖表，讀書效率就大大增高。下面我們就來討論，圖表學習法的效果何在。

●化複雜為簡明

從前面交通標誌的例子就知道，與其用文字做不清不楚的說明，不如改成圖表。只要下這樣的手腳，都能一看即懂，也便於記憶。

有些內容，甚至不用圖表就無法了解。遇到複雜透頂，非借助圖表殊難了解的問題，如果不懂運用圖表學習法，等於枉費時間，實在划不來。

●化零亂為有序

零散冒出的知識，如果任它們各據一方，不會有什麼用處，要是做個綜合性的整理，湊成幾個要點，你就可以把那些知識運用自如。這種化零亂為序的工作，最有效的妙策，捨「圖表學習法」莫屬。

使用圖表的另一個好處，是好幾種知識縱橫的關係，可以清楚顯現。這就是說，即使忘了某一件知識，只要從它跟其他知識之間的關係，稍加推測，很快就可以想起來。圖表學習法的好處之一，就是易記憶而且不易忘記，效率之高，值得大力推行。

●加強印象

圖表一定要親自做，否則，效果就大打折扣。

自己整理要點，把這些要點化成圖表，寫在紙上，在這樣的過程中，你就能夠把這些知識概括性的記憶。光是看別人做的圖表，就很難發生這樣的效果。

(2)怎樣做「圖」？

「圖」的作法，種類頗多，最常用的是：連鎖式、關係式、系統式、圖解式、地圖式、座標式等六種。什麽學科就使用什麽圖表，通常是以學科的性質和內容而定（並不是非哪一種不可），這就要各憑功夫，多方揣摩、多方變化了。

●連鎖式

這是圖的種類中最簡單的。把兩三種項目，使用箭頭之類的記號，連結如鎖，便於記憶。（圖一八八頁）

［例］把世界史上的某一段文章，化爲簡單的圖。文章的內容如下：

（1882年，在俾斯麥的策動下，德、奧、義三國締結同盟。又，1891年俄、法兩國也締結同盟。）

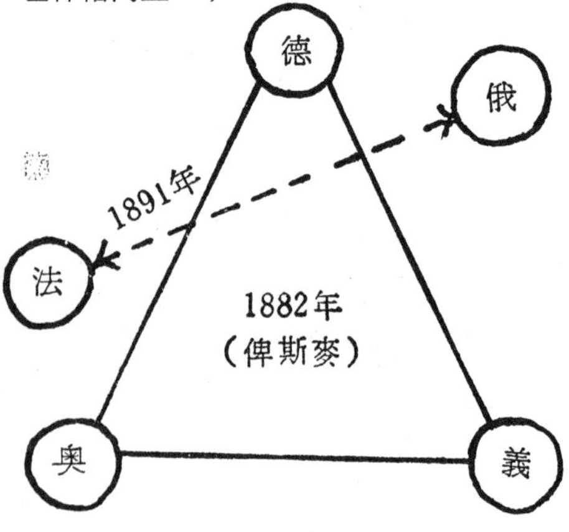

德
俄
1891年
法
1882年
（俾斯麥）
奥
義

●關係式

要表示比連鎖式更複雜的關係，就得採用「關係圖」，下圖（一八九頁）就是一個實例。化學上表示氧化、還元的關係，數學上表示不等式的界限，經常使用這個方法。

●系統式

把整個組織或橫的

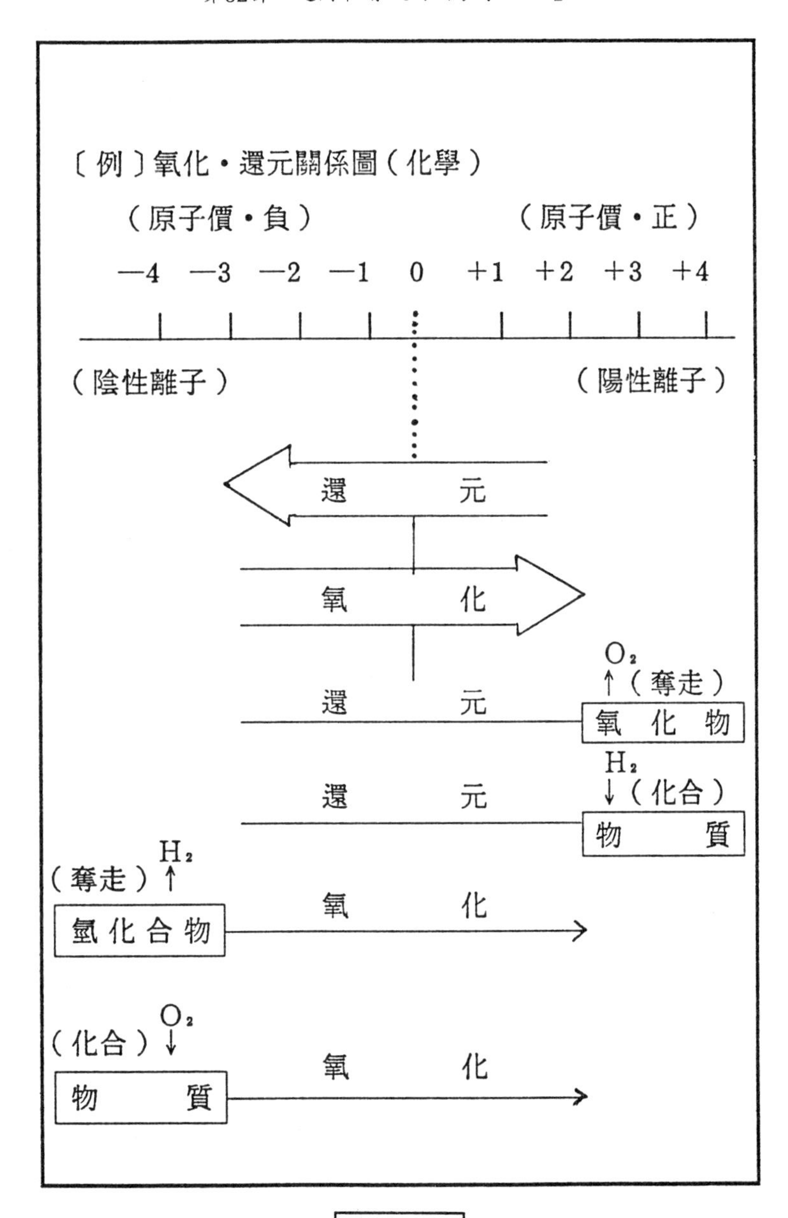
〔例〕氧化・還元關係圖（化學）
（原子價・負）
（原子價・正）
−4 −3 −2 −1 0 +1 +2 +3 +4
（陰性離子）
（陽性離子）
還　元
氧　化
還　元
O_2
↑（奪走）
氧化物
H_2
還　元
↓（化合）
物質
H_2
（奪走）↑
氫化合物
氧　化
O_2
（化合）↓
物質
氧　化

（秦朝政治組織系統圖）

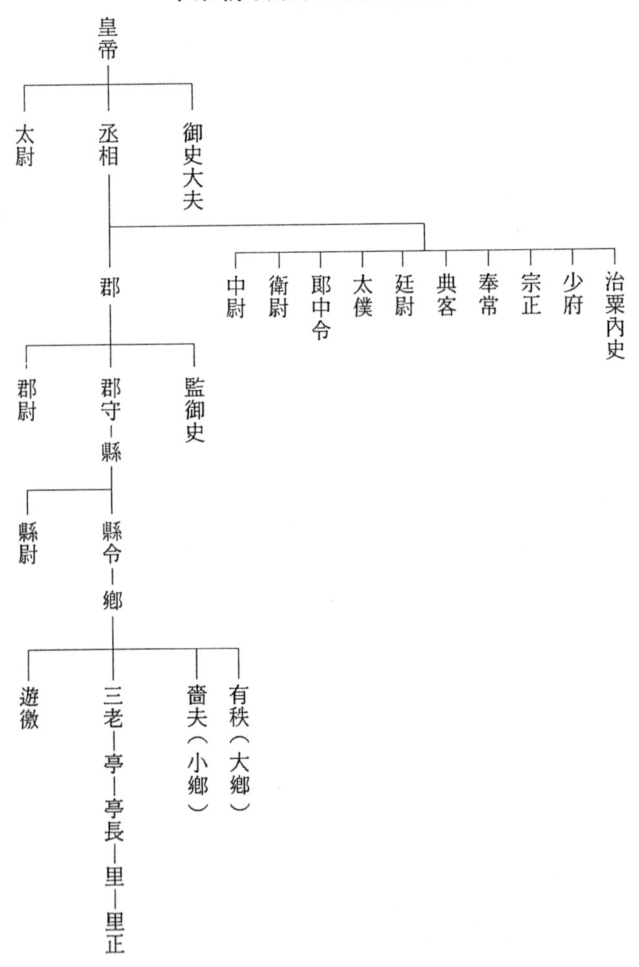
皇帝
太尉
丞相
御史大夫
郡
中尉
衛尉
郎中令
太僕
廷尉
典客
奉常
宗正
少府
治粟內史
郡尉
郡守
監御史
縣
縣尉
縣令
鄉
遊徼
三老
嗇夫（小鄉）
有秩（大鄉）
亭
亭長
里
里正

複雜關係，湊成幾個要點時，就得運用「系統圖」。劃分得太細，反而不容易抓住內容，所以，把重大事項的關係列出即可。

這種圖式的特徵是：儘量簡化，鈎出要綱，以便掌握重點。一九〇頁就是以「秦朝政治組織」做題材的「系統圖」。

秦朝實施郡縣制度，大權集於皇帝，它的政治組織，跟周朝實行過的「封建制」，大不相同。

秦始皇把全國劃分為三十六個郡，郡設郡守、郡尉、郡監；縣設縣令、縣尉、縣丞，分掌民政、軍事、監察等大權。這些官吏的任免權則悉歸皇帝。

●圖解式　<後圖上>

寫出略圖，加上名稱和簡單的說明，這就是「圖解式」。

有時候，只以數字代表要點，在欄外或裡面，填入解答，就易於記憶。

●座標式　<後圖下>

物理、化學等學科裡學到的種種變化，或是數學的算式，就用「座標圖」來表示，並且略加說明。使用這個方法，必須注意的是要多加練習，做到正確無誤。

●地圖式

把地形、產業、氣候、歷史大事之類的內容，在地圖上，扼要填入，以便一覽

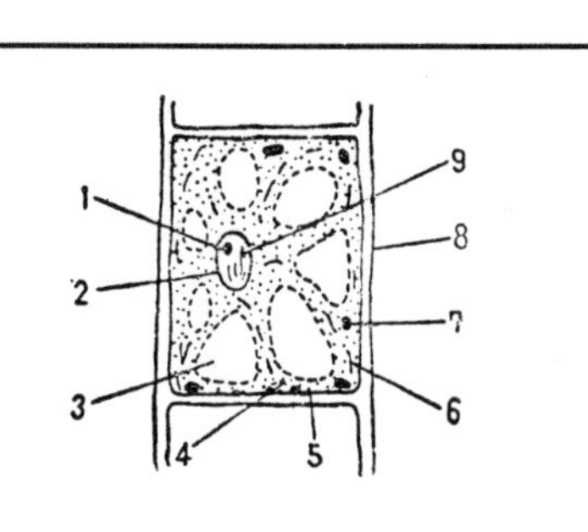

1.仁　2.核膜　3.液泡　4.細胞質　5.原形質膜　6.細胞粒子（直徑約0.3～1.5千分之一米厘）　7.色素體8.細胞膜　9.染色絲

〔例〕一次函數　Y＝ax＋b的座標式圖解（數學）

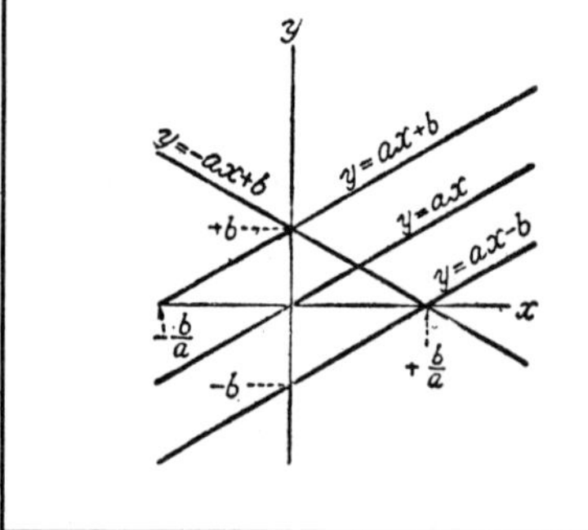

無遺，便於了解。

寫這樣的地圖，要練習寫得快，不必拘泥於形狀正確與否。

(3)怎樣做「表」？

表有年表式、比較式、一覽式三種。它們各有特點，你要選出最合適的一種，好好活用。

時代	西元	法典內容	制定者
飛鳥	六〇四	十七條憲法	聖德太子
		「近江」令	天智天皇
		「澤御原」律令	天武天皇
	七〇一	「大寶」律令	文武天皇
奈良		(養老律令)	
平安		←	
鎌倉	一二三二	「貞永」式目	北條泰時
建武		←	
室町	(「應仁之亂」後)	分國法令	戰國時代各藩王
安土		←	
桃山			
江戶		武士法令	德川家康
		宮廷、公卿法令	
		寺院法令	
明治	一八八九	日本帝國憲法	明治天皇

●**年表式**

與其做龐大的綜合年表，不如做以某一件事為中心，或以政治、經濟、文化等的特色為主的小年表。這種作法對學習上的幫助，比較大。

年表式的目的在「抓住互相之間的關係」。

〔例〕日本史上的「法典史」小年表

●**比較式**

把很相似的事項，分成種種項目，彼此比較，這就是「比較式」的表。「比較式」的好處是：便於比較和記憶。這個方法拿來表示疑問式動詞的單數、複數間的關係，最為合適，下面是一個例子。

【例】一般動詞疑問形（英文）

	單數	複數
一	Do / Did } [go?	Do / Did } We go?
二	Do / Did } you go?	Do / Did } you go?
三	Does / Did } he go? (she) (it)	Do / Did } they go?

●一覽式

將重要事項、公式、要點之類的內容，在一張大紙上，以列舉（分條）的方式整理出來——這叫做「一覽式」的表。

這種一覽表，可以把腦裡的衆多零散知識系統化，使用起來可真是稱便。

譬如，要把有關某種化合物的各種知識系統化，你就將它的性質、製法、分子式、跟其他化合物的方程式……，一一列出，只要稍加整理就一目瞭然，便於記憶。

又如，要整理有關電氣的方式，就得搜集安培（AMPERE）定理、庫倫（COULOMB 電量單位）定理、電氣容量的求法、電容器之類的各種知識，悉數列舉於一張大紙上。

使用一覽式不可忽略的是儘可能把有關的知識，多方搜羅，集合一處。

●如何活用圖表？

前面說的實例，只不過是圖、表學習法中的幾種而已。各位務必參考這些例子，在研讀教科書或參考書時，設法將內容儘量圖、表化，推展有效率的學習。

如何活用自己做的圖、表？

①前面說過，「圖、表務必親自製作，才能印象深刻，便於了解和記憶」。

【例】有關電氣的公式（物理）

○庫倫定理 $f=R\frac{qq}{r^2}$

f＝達因（力量的單位）

q
q' }……c. g. s. e. s. u.

r＝……cm

○電器容量 $C=\frac{Q}{V}$

C……法拉　（電量單位）

Q……庫倫

V…… 伏特

○電容器的結合

① 直 列 $\frac{1}{C}=\frac{1}{C_1}+\frac{1}{C_2}\cdots\cdots$

② 並 列 $C=C_1+C_2+\cdots\cdots$

但是，若把親自製作的圖、表，在製作之後，丟在一旁，不加運用，那就毫無效果。你製作的圖、表，必須經常拿出來過目，如有忘記的地方就做個記號，而且立刻把那部分反覆練習、加強印象，防止再忘。

②圖、表必須整理在一張紙，或是筆記簿上的「同一頁」，以便掃一眼之時「盡收眼底」。

③圖、表如果在中途斷了，還得翻到下一頁才能窺知全貌，那就異常不便，不如另接一張紙，整理成「一看就盡收眼底」。這是防止翻頁之時，印象大亂的一招，看似小節，其實很重要，請牢記於心。

④製作圖、表時，除了鉛筆，還得分別使用色筆，以便加強印象，易於記憶。

⑤特別要記熟的地方，事先就讓它空白，邊看邊想，效果必彰。使用紙片把要點蓋起來，邊讀邊想蓋起來的「要點」——這一招也相當管用，不妨一試。

第33計　做個「筆記能手」

(1)筆記簿大觀

「筆記簿是測試一個學生理解度的寒暑表。」一位教育家如是說。這確是至理名言。

聽同一位老師講課而做的筆記，它的內容，因人而異，有時候差別之大，就如天壤。下面我們就舉出一般中學生（尤其是高中生）筆記的類型，分析它們的長處和缺點。

●速記型

把老師說的，或是黑板上寫的，不管三七二十一，全都一字不漏地記下來——這叫做「速記型」。

講課的內容，無一遺漏，真個細密到家，所以，事後若要查看，的確很方便。

缺點是：只顧埋頭抄錄，因此，對講課的內容往往昏然不知，或一知半解。

●謄寫型

聽課時在雜記簿上胡亂筆錄，回家後，把它重新整理，謄寫在另一本簿子——這叫做「謄寫型」。採用這一型，耗時兩倍，所以，不能運用到任何學科。如果只限於不擅長的學科，或是你打算特別加強的學科才採用這一招，倒有點效果。謄寫時莫忘了趁便把內容整理得有條不紊。

●要點型

事先下功夫預習，在課堂上則邊用心聽講，邊把內容要點整理在筆記簿——這叫做「要點型」。這一型的好處是：「每一堂課都當場徹底了解。」先決條件是：「必須預習內容」，否則，聽課時會漏掉重要部分，或無法跟上老師講課的內容。

●雜記型

在同一本簿子裡，容納多種學科的筆記，內容又雜又亂，事後一看，連自己都不知道到底寫的是什麼——這叫做「雜記型」。

●輔助型

除了一般聽課用的筆記簿，另備一本筆記簿，把學習過的內容，做重點式的整理，以便易於查閱、記憶——這叫做「輔助型」。輔助用筆記簿在學習活動中，佔了很重要的地位，後面將有更詳細的說明。

(2)最佳筆記法

一般學生有一種傾向：認為自己目前實施的學習方法，是最好不過的方法；自己做筆記的方法，也是頂而尖，無人能及的方法。

這麼自傲可真是大錯，希望大家參考下面介紹的「最佳筆記法」，設法使學習效率更上一層樓。

●容易看得懂

將自己了解之事，透過自己的語言，寫得簡明易懂。這是做好筆記的第一個秘訣。有時候，也可以使用自創的略語（簡語）記號，省去時間和麻煩（請看二〇一頁的例子）。

●標題要清楚

筆記簿上必須有大標題、小標題，而且適切地加記號或劃線，使之一眼可以看出哪裡到哪裡，寫的是什麼內容。復習的時候，如把其中的要點另外列於欄外，準備考試的時候可收一勞永逸之效。

●儘量多角化

筆記簿要儘量做到一科一冊，將「預習項目」、「老師講課的要點」、「復習

【例】「日本在1942年制定勞動基準法，同時，爲了監督這個法律是不是執行無誤，也設立了『勞動基準監察署』(社會科)

●上面的內容，做筆記時就寫成：

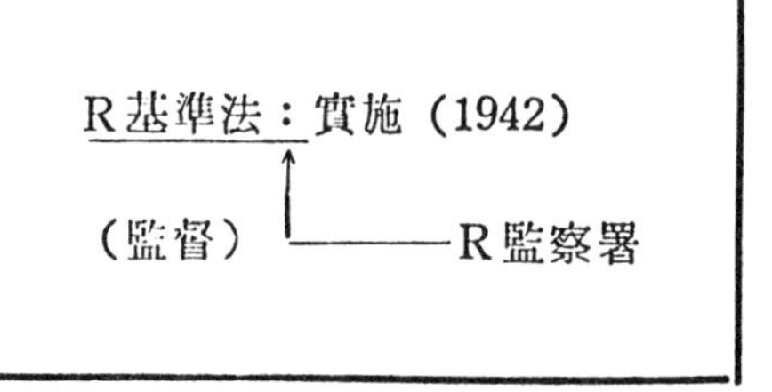

R：勞動一詞出現好多次，所以，用R代表勞動。

項目」彼此聯結，做多角性的整理。下面（二〇三頁）是數學筆記簿的例子。

把有關某項目的問題，如此做多角性的整理，列在同一項，不是又清楚，又便於查閱嗎？英文或國文科也該如此。單字簿和聽課用的筆記簿，切莫分開，該把同一個內容，做這樣多角性、綜合性的整理，清清楚楚地列在同一頁。

●創造樂趣

筆記簿絕不是只把老師講課的內容做機械式記錄的東西，你要設法使自己對整理筆記感到莫大的快樂。

譬如，參考書上查到的事，或報上剪下來的資料，或自己拍攝的研究用相片之類的東西，全都收進筆記簿上，如此「多彩多姿，富於變化」，整理筆記就從枯燥無味的苦差事，一變而為令人興致盎然的事，個中樂趣，一經養成，你就「樂此不疲」了。

尤其是社會科、自然科，整理時要把它分為兩大部分：

①在左頁，把自己研究過、整理過的內容記錄下來。

②在右頁，列出聽課時整理的要點。

這麼一來，一翻到這個地方，同一個單元的各種內容，都能「盡收眼底」，對復習也好，應付考試也好，都有莫大助益。

（講課的要點）

一次方程式

(1) $A=B$，則 $A+m=B+m$

(2) $A=B$，則 $Am=Bm$

(3) $A=B, m\neq 0$ 則 $\frac{A}{m}=\frac{B}{m}$

（預習時做的練習問題）

1. $3x+2=14$

將左邊的（＋2）移到右邊

$3x=14-2$

$\therefore 3x=12$

$x=4$

2. $7x-(3x+11)=4$

$7x-3x-11=4$

$7x-3x=4-11$

$\therefore 4x=-7$

$\therefore x=-\frac{7}{4}$

（復習的項目）

←把 $x=4$ 套入原式來驗算

$3\times 4+2=14$

（正解）

←移項變號時犯了錯

$7x-3x-11=4$

$4x=15$

$\therefore x=\frac{15}{4}$

●仿傚好的筆記簿

對某種學科特別擅長的同學，有關那些學科的筆記簿，一定整理得跟別人大異其趣，可取之處，當然也很多。你不妨向他們借閱筆記簿，多多觀摩。

例如，注意他們如何抓住重點，如何整理單元內容，編排方式有何特異之處……，然後把優點吸收，做為改造自己的筆記簿珍貴的指針。

(3)如何使用「輔助性筆記簿」？

輔助性筆記簿在學習過程中的重要性，絕不亞於一般聽課用的筆記簿，我們甚至可以說，它的效力，比後者有過之而無不及。

●輔助性筆記簿的形式

一般作法是另備一本跟聽課用筆記簿完全分開的筆記簿，將全年中學習的內容濃縮在裡面。輔助性筆記簿的價值，在於邊整理邊記憶，所以，復習當天的功課時，就立刻派上用場。

要是預習工作做得好，聽課時邊聽邊做，也無不可，因為，能夠做到這種地步，回家後，就可以傾注精神於練習問題，對增加實力更有裨益。

●怎樣做輔助性筆記簿？

輔助性筆記簿的作法，跟一般筆記簿的作法大致相同，但是，重點應該放在「易於記憶」，所以，務必注意到下面幾個條件：

①內容要整理得簡明扼要，一目瞭然。

零零散散，或擴至數頁的內容，不但不便了解，也無從記憶，所以，務必使用大開本的簿子，把整個項目的內容要點，寫在同一張。

②整理的時候，重要的內容要力求詳盡，其他內容則扼要填記。尤其是出題傾向較高的內容，要特別用心整理。

③有時候，只列出教科書的題目，或者重要語句。這個方法的好處，是容易使全盤性的內容和要點的次序，有系統地烙印腦中。

④所謂「整理」，並不是光把教科書裡的內容，原原本本摘錄，而是跟有關的重要知識，打成一片，從事「過濾」，或是把以前學過的，拿來跟今天學過的相互比較，著著實實下功夫去「重整」。

照抄不但效果不大，而且枯燥無比，容易令人生厭，這一點務必牢記，否則，你將為了抄得辛苦而失去整理筆記的樂趣。

經過一番整理功夫之後，腦裡原是零零亂亂的各種知識，就如賦予新生命（彼此聯結一氣），可收加強印象、記得快、記得牢的效果。

●如何活用？

輔助性筆記簿要懂得活用，才能顯出它的價值。

預習的時候，做練習問題的時候，準備考試的時候，都要隨時放在身邊，不斷拿出來對照、運用。重要的地方和容易忘記的地方，必須用紅筆做個記號，然後，反覆練習，做到一閉眼，整頁內容都能浮現在腦裡那種程度。

(4)輔助性筆記簿的整理秘訣

輔助性筆記簿不要光是用文字或文章來記錄，你必須多方運用前面說過的「圖、表學習法」，把圖、表大量搬進，設法做到一覽無遺，過目難忘。下面介紹的是圖、表以外的整理的秘訣。

●列舉式

與其用文章拖拖拉拉寫了一大堆，不如化成(1)、(2)、(3)……等要點，這叫做「列舉式」。列舉要點切莫失之過細，否則，反而難以記憶。在列舉的要點之下，加些「簡單的說明」，當可加強印象，易於了解。請參照下面的例子來做。

(1)社會保障制度
①社會保險——健康
福利養老金、勞工災害保險（船員、失業者、一般國民）
②生活上的保障
醫療、教育、住宅、分娩、職業、葬禮……
③公共衛生
衛生機構——衛生署、衛生所、公市立醫院

●分類式

把各項目的內容有系統地分門別類，這叫做「分類式」。從大項目漸次分成小項目，做整個系統或關係，躍然呈現——有必要這麼做的學科，採用這個方法最為有效。

●問答式

把要點化成簡短的問答方式，這叫做「問答式」。簡要整理各項目的內容時，採行這個方法，至為稱便。又，背誦或測驗記憶效果時，這一招也相當管用。

以上列出的各種方法，只是「謹供參考」，各位應該再動動腦筋，想出更好的秘訣，切莫到此而止。

第34計　實施「合理的時間分配」

(1)火車時刻表的魔術

日本剛鋪設鐵路的時候，火車時刻表的訂定，是由英國技師——貝茲，一手包辦。當時的日本人，老是想不透列車如何使之錯車，如何使之互相避開的道理。貝茲先生躲在專用辦公室，自個兒從事他的工作，對任何人都不說出個中秘訣，所以，大家還以為他要的是什麼高超的「魔術」呢。

後來，一個偶然的機會，使鐵路局恍然悟到其中秘訣。那是叫做「時刻序列」的玩意，是以距離為直軸，時間為橫軸，將火車的動態以線條來表示的。

時至今日，這種時序列表，已經進步到「以秒為單位」，而且絕無差錯呢。學生若要提高學習效率，也得善用這一類「時刻序列的安排」。所謂善用時間，我們必須顧到兩方面：

①如何在一天二十四小時中，儘量挪出更多的時間來讀書？

②如何在一定的讀書時間內，做最有效的學習？

我們實在有必要定出「學習列車」的時刻序列表，從事最有效率的學習。

(2)正確的時間分配法

如何在每天的生活中，創造出更多做功課的時間?這是很有趣的問題。現在，我們就來研究這個對學生來說是相當切身的問題。

首先，你必須把一天中使用時間的情況，詳加記錄，然後檢討那些工作耗了多少時間?那些時間是不是分配得合情合理?

請立刻動手做「工作分析表」。方法是把一天分割成三十或十五分鐘的單位，在這張時間表上，填進表示工作內容的「線條」。

例如，在下表，把主要的工作分為四大類：睡眠、生活、讀書、娛樂。

做得不怎麼好的地方，就以點線表示，譬如，睡眠時間內，有一段時間是在床上愛睡不睡，那一段時間就用點線來表示；做功課的時間內，有一段時間是耗在準備方面，那段時間就以點線來表示(以此類推)。

填好「工作分析表」後，從工作表中尋找「浪費掉的時間」。你將發現「浪費掉的時間」，不外下列幾種：

①用功之前態度不堅或行動緩慢所耗去的時間。

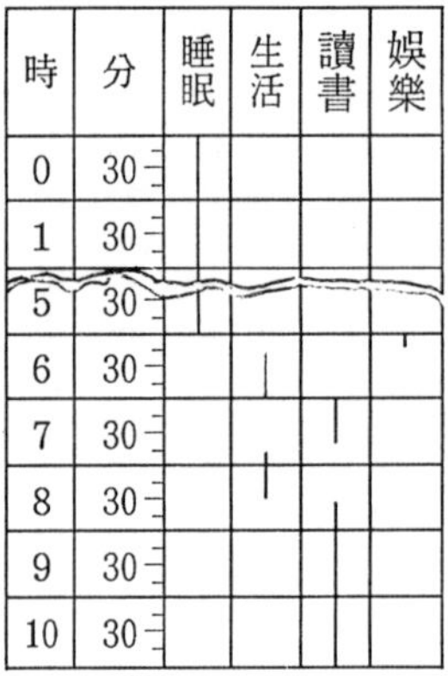

時	分	睡眠	生活	讀書	娛樂
0	30				
1	30				
5	30				
6	30				
7	30				
8	30				
9	30				
10	30				

②用功中途，注意力不集中所耗去的時間。

③好像在玩，又好像在做功課，兩者的界限混淆不清所耗去的時間。

生活上就有削減不了的時間。譬如，吃飯、飯後休息、幫忙家事、看報紙、睡眠（八小時），都是有其必要，硬把這些時間的一部分，挪到讀書上去，實在令人不敢苟同。這種硬逼出來的計劃，一定會扯出紕漏，效果難望，還是避而不用為妙。

又如，適當的休閒時間，絕不能缺，它是調劑身心的妙方，值得重視。把時間合理分配之後，你將發現，一天的讀書時間（不包括在學校的時間），至少可以有三小時，正在準備投考的人則最多可以產生七小時的事實。

(3)如何活用最適合自己的時間？

同樣用功一小時，如果來勁兒，效率就大好，如果不來勁兒就效率大減。經常保持充滿勁勢的情況，讀起書來當然叫人稱心如意，問題就在，誰都有「勁頭的起伏」，一天當中，勁頭最大的時間，因人而異，有時候，差別之大，有如走兩端。

一般而言，適合讀書的時間，可以大別為早晨型（上午讀書，效率特別高）和夜晚型（晚上讀書，效率特別高）。另有一種中間型，是不管早晨、晚上都能精神勃勃地讀書。這一型的人，有些是天性，絕大部分倒是後天養成的習慣。由於天天如此，任何時間用功對他們都沒什麼分別。

中學生（尤其是高中生）當中的七、八成，是屬於「夜晚型」，可要知道，雖然是夜晚型，在半夜十二點以後，讀書效率就突然大降，這是不能不注意的。

能夠從「早晨型」或「夜晚型」轉成「中間型」，當然最好不過，但是，日久形成的習慣，著實不易打破，這就是俗語說的：「老馬不死，積性難改」，實在勉強不來。

有一位學者如是說：「人，從事某種工作，效率最高的時間，是新陳代謝最旺盛的時候。這時候的特點是體溫上升。所以，夜晚型的人，如果想轉成早晨型，起床後，就該做做體操或散步（稍微流汗的程度），藉此使體溫上升。這麼一來，腦筋就變得清爽，讀書意願就比較容易產生。這樣的習慣只要持續兩週，就可以達到轉型的目的。」想轉型的人，不妨一試。

頭腦若長時間使用過度，人就覺得身心俱疲，效率也隨著走下坡。這種生理現象，人人皆同，無一例外。要防止這種現象，就得隨學科的種類和內容，把用功的時間細加區分，採取反覆學習的方法，效果才會轉佳。下面是大致的標準：

▲背細小項目時——十五分左右。

▲研讀不擅長科目時——三十～五十分左右。

▲英文、數學之類每天都要反覆溫習的學科——一小時左右。

▲擅長學科的系統性整理工作——九十分以內。

你要先認清一個事實：計劃定得很完善，也懂得如何活用最適合自己的時間，如果執行無力，或根本不想執行，等於百忙一場。

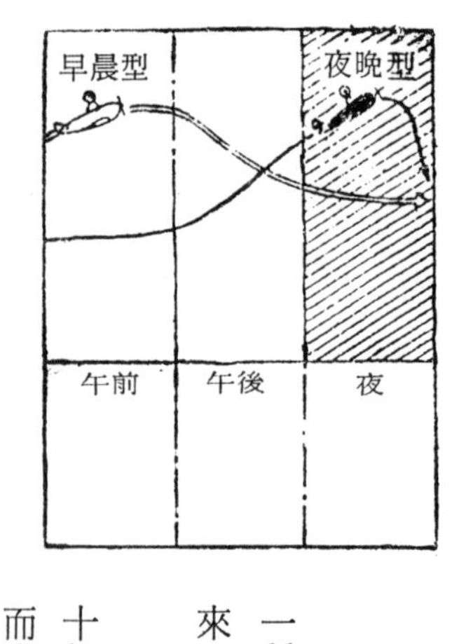

下面介紹的，是人人可行的執行力增進法。

第一：別一開頭就太貪心，要從小地方著手。

雖然是小小一件事，如果按時完成，人就有一種滿足感（或者說，是一種成熟感），這麼一來，對下一件工作就油然生起積極意願。

比如說，要背英文單字，別一次就想背好幾十個，而是定下「一日一語」的目標，如此逐日而進，到畢業之前就可以背相當數目的單字了。

這就是積少成多的道理。這個道理，由於太平凡，很多人都忽略了。

第二：消除「讀什麽好？」的猶疑時間。擬定計劃之後，時間一到，立刻把書本和各種工具準備好，先開始再說。傻坐在椅子上三心兩意，最是要不得。

第三：莫同時做兩件事，先把一件事徹底做完。在用功中途，注意力四散，或無法堅持做完，絕大部分是由於一次做兩件事而起。該玩則玩，該做功課就做功課，此中分際，必須劃分得一淸二楚。

第35計　了解參考書的選擇法和使用法

(1)參考書的種類

各位同學到底拿什麼標準去選擇參考書？一到書店，但見一大堆琳瑯滿目的參考書，樣式之多、編排之美，可真叫人眼花撩亂，目不暇給，任誰都會迷疑一時，是不是？

我要敬告各位：當你要到書店買參考書，先要了解參考書的種類和趨向，否則，毫無準則，怎麼個買法？對這方面若有心理準備，選起來就不至於無從下手，也不至於花一筆冤枉錢。

●從使用的目的來分類

①補充型：這種參考書的特點，是單元順序跟教科書一模一樣。不過，內容比教科書還要詳盡，目的在「補充學力」。

②專門型：跟教科書並沒有直接關係，但是，對某一件事總是極盡詳述之能事。譬如：「動詞的徹底研究」、「單字征服要訣」等。

③讀物型：以英文為多。例如：「Alice in Wonderland」、「Fifty Famous Stories」之類，淺顯為旨的讀物。自然、社會科的此類參考讀物，最近也逐漸增多。

④綜合型：這種參考書把入學考試各科目的要點、試題趨向，做了綜合性編集，標題都很醒目。

⑤重點型：依照科別，把每一科的考試重點，扼要列出。一般學生都拿它做為考前總復習之用。「英文單字精選」、「英文片語大集」、「數學公式集」亦屬此類。

⑥問題型：以練習問題為主，有考試用、教科書補充用兩種。特點是搜羅甚廣，應有盡有。

除了這六種，還有解說課本內容為主的參考書，很多學生都拿它做抄寫習題之用，使用方法甚為不當，這是急需矯正的一件事。

●從學科的種類來分類

自然科學
- 物理、化學——有補充型、問題型，兩者併用就有效果。
- 生物——綜合型居多。

國文
- 古文、白話文——以綜合型居多，跟課本內容無關，適合做入學考試的參考。
- 文法——對不擅長文法的人頗有用處。
- 文學史——適合有興趣的人。
- 作文要訣——對提高作文能力頗有幫助。

社會
- 中外歷史——以補充性質居多。
- 人文地理——資料豐富就有價值，如果只列出重點就沒什麼價值。

數學
- 代數、幾何——有補充型、綜合型、問題型，種類繁多。

英文
- 英文解釋法、作文、文法——綜合型居多，有入學考試用、復習用兩種，要注意程度是否適合自己。
- 參考讀物——有初級、中級、高級三種。

●依照定價來分類

參考書的定價，跟內容的好壞並沒有一定的關係，但是，定價可以決定頁數，而頁數大致可以決定一本參考書的「性格」。與其被廣告的書名搞得迷惑，不如以定價來判斷該不該買它，反而省事——有時候，就有這種情形。

一般而言，針對考大學、高中而出的要點型、問題型參考書，價格最低。可做平時預習、復習之用。

補充型、專門型、綜合型的參考書，由於以增進學力為旨，頁數較多，價錢亦高。要徹底充實實力的人，不妨買這一種。

(2)好壞之分

●怎樣才能選得對？

參考書的種類那麼多，選購時該怎麼取捨？好的參考書、壞的參考書，怎麼分辨？從種類繁多的參考書，要選出一本好的，而且一選即中，除非是精於此道，實在不易。不過，如能根據下面列舉的要點去選擇，當不至於離譜太甚。

①例題多，解答詳盡：

例句豐富，例題衆多，模範解答也寫得極為詳盡，這種參考書，用途極廣。

②整理有致：

重要事項都能提綱挈領，整理得有條不紊，令人一目瞭然。

③作者是此中名家：

一本參考書如果作者的責任不明確，又沒有出版社的名稱、地址就要小心。作者若是有定論的此中名家，責任明確，不可能是劣書。

④圖、表特多：

附有索引、分類表、解說用圖，尤其是圖、表豐富，搜羅至廣的，必是好書。

⑤印刷良好：

編排雅致，印刷精美，字跡清楚。

⑥看看印了多少版：

翻看後面版權頁的發行日期，如果已經印了好多版，表示銷路頗佳，這就證明買者多，內容必定差不到哪裡。

⑦看看由哪一家出版社出版：

信譽向來甚好的出版社出版的參考書，可以放心購買。

⑧練習問題的編排方式：

練習問題由淺而難，由基本而應用，如此逐級而進的參考書，就有一讀的價值。順便看看是不是處處對「啟示」、「注意事項」有懇切的註明。

說到壞的參考書，當然是跟前面所列舉的完全相反，但還得注意下面幾點：

①錯誤太多：錯誤是不是很多，老實說，使用過了才知道，所以，最好選擇「享譽甚隆」的。

②目的不同：買參考書一定要符合自己的目的。跟自己的學力不盡相符（例如，文章艱深），不合乎使用的目的（例如，需要補充型，卻使用投考型），這種跟目的相違的參考書，即使內容甚佳，反而有害，必須特別注意。

除了上面所說的幾點，為求慎重，要進一步做到：

第一：不要「好高騖遠」。

以中學生而言，如果還在一、二年級就讀，最好選購補充教科書用的參考書。還在一、二年級就讀，就買實際上使用不來的「投考用參考書」，如此「好高騖遠」，絕無益處，所以，切莫看到同學手中有它，自己也急急忙忙趕著去買。

第二：向老師或前輩討教。

想具體地知道「這一本參考書，是好是壞」，最好的辦法還是向有經驗的人討教。老師或是前輩，在這方面可以提供你珍貴的意見。

第三：最後的決定者還是你自己。

不管如何，最後決定買哪一種參考書的人，還是你自己。

在書店翻閱種種參考書，也看看同學們買的哪一種參考書，將它們的長處和缺點，詳加比較之後，才決定——這種慎重其事的態度，實有必要。

一旦決定而且買回來使用了，就算發現略有缺點，也不必太在意，應該信賴它，繼續使用，切莫半途又主意大變，又為另選一本而耗時耗錢。世界上本就沒有十全十美的東西，是不是？

(3)參考書的使用法

即使買到一本很好的參考書，如果使用不當，對你的學習並不會發生什麼良性作用。

有些人把參考書奉若「守護神」，入迷到這個地步，未免太離譜。這就像揹了參考書去量體重，一看「體重增加」就雀躍三百那樣。他沒發覺，如果把參考書拿走，自己的實力就絲毫不存的事實。怎樣使用參考書，使之發揮神力？下面是你非實行不可的七大秘訣。

第一訣：當做添血、加肉的工具

學習的重心，還是要放在教科書，參考書只能當做添血、加肉的工具。如果進到準備投考的階段，必須使用「投考型」的參考書，學習的重心就逐漸移到參考書，但是，還得不時跟教科書相互比照，結合一氣，如果強加分開，實力就大損。

第二訣：善用色筆

遇到重要的地方，就用紅筆劃線為記。不明白的地方就用藍筆做記號，向老師討教。

第三訣：要有輔助性筆記簿

光是看，內容並不會留在腦裡。研讀參考書也要做得徹底，所以，務必另備輔助性筆記簿，把要點一一摘錄成册，就會加強印象，易於記牢。

第四訣：切莫先看答案

使用參考書最受詬病的是：「只知猛抄答案應付老師」。你該力加思索，做出自己的答案後，才跟參考書上的答案對照。一味照抄，或是未經思考就急於看解說、解答，絕不會打下紮實的實力。

第五訣：既買之則讀之

一旦買來使用的參考書，一定要不改初衷，研讀到底。把一大堆同類的補充型、綜合型參考書，這兒看幾頁，那兒看幾頁，不斷改變對象，如此「愛心不專」，類似見了就偷吃的作風，實在要不得。這樣耗時耗力，又得不到效果的參考書使用法，只能說是「奇笨如驢」，萬萬勿犯。

第六訣：也有必須多方比較的參考書

屬於專門型的參考書，就要跟前一項相反，要多方比較同類參考書的資料，以求周全。因為，事涉專門性的問題，如能多方比較，你的判斷力和實力，就能水漲船高。你當然無法買進此類所有的參考書，所以，要善用圖書館或跟同學開個「參考書大集會」，彼此借閱、比較。

第七訣：至少反覆三次

綜合型、參考讀物型的參考書，只看一次，不但無法盡悉其義，也不能充實自己。你要把這些參考書當做「三考（思考）之書」，至少反覆看個三次，才算征服了它。

「與其多花時間，不如增加看的次數」——這是征服參考書內容的不二法門。

第36計　好好利用教科書、參考書的索引

(1)索引是重點知識的「地址簿」

教科書或參考書後面，通常都附有「索引」。

一般學生對索引，似乎索然無趣，很多人甚至看都不看一眼，這是一大失策。索引有我們常使用的電話簿那種作用，可以說是知識的一種「地址簿」，如能善用，好處無窮。

一般「地址簿」（或是人名錄），依照筆劃序把一個人的姓名、服務處所、地址，羅列出來，檢查起來至為稱便。書上的「索引」，主要是在「人名」（知識），它們的地址就是「頁碼」。人的地址，通常只有一處，「索引」上的地址（重點的頁碼），卻往往有數處。索引是怎樣編成的？對這有個理解，你自然而然就會領悟利用的秘訣。

編纂教科書或參考書的人，先把該書的重要項目（也就是他們認為讀書者非了解透徹不可的知識）或是要點，塡進卡片上。

卡片上會註明該項目最先出現的頁碼。

然後，把這些卡片，依照筆劃或A、B、C的順序，一一調整好。

如果，同一種項目出現在好多個地方，卡片上就追加那些頁碼。

這就是索引的編輯方式。內容越複雜的書，索引就編得越詳細。有人甚至說，一本書的好壞，只要先看索引就知道。索引的重要性，由此可見。

(2)如何利用索引？

索引上列出的項目，必然就是那本書的「重點」，這是不容置疑的事。也就是說，那本書的重要知識，全都網羅在索引之內，所以，只要有效使用索引。你的學習效率就大增。

怪就怪在，一般學生並不好好利用這個「奇寶」，說來，真是可惜又可嘆。

索引該怎樣善用？下面就是「使用索引的三個要訣」。

第一訣：當做預習利器

這是使用參考書時最常見的一招。

當你在預習，遇到不明白的語詞或項目，應該立刻查看索引，翻翻對那個問題有註明、解說的頁碼，就有立竿見影之效。

從目錄上去尋找，固無不可，由於細微的項目或內容，目錄上不一定樣樣可見，如要求快和確實，查看索引，才是上上之策。

第二訣：當做復習利器

你研讀功課的時候，經常會碰到：「這件事我記得以前好像學過，現在，偏是想不通」之類的現象。遇到這種情況，你如何處理？是一翻而過，或是追究到底？如果是前者，那就糟糕透頂。

預習階段任「不知」的部分溜過，等於對該項目的全盤知識一知半解，很容易對整個內容發生錯誤的判斷。

遇到這樣情況，你要立刻翻看索引，按圖索驥地尋出有關項目的解說，然後，再回過頭來看原先那一段，如此一來，不就前後貫穿，豁然大悟了？

第三訣：當做投考利器

索引幾乎把教科書所有的要點，網羅在內，所以，投考時大可當做出題的有力線索。

不過，應付期末考時，光是循索引而研讀，無法把考試範圍的內容，掌握殆盡，所以，平時還得在卡片上摘錄重要項目，或是在書上以色筆劃線，把內容妥加整理，才能百無一失。

(3)使用索引的實例

實際上使用索引，該怎麽做?大家不要光說不練，請依照下面各科使用索引時的具體實例，找機會做做看。

●學英文如何使用索引?

英文最有效果的索引使用法，應該是在單字、成語、片語的整理，以及它們的背誦方面。使用集了一大堆你見也沒見過的單字、片語、成語的參考書，從頭拚命記憶，這種方法，效果難期，可說是徒耗精力，其蠢如牛。

與其走這種遠路，不如就近熟讀課本上學過的單字、成語、片語。

索引在這方面可以提供你最佳路徑。製作單字卡的時候，你不要只填那個詞句的意思，也查查出現那個詞句的頁碼，循此翻出原文，把它塡在下面，這個功夫可以使你加強印象，易於記憶，絕不會徒勞無功。

譬如，有關「a day」這個片語，你要製作單字卡時，先查查索引「a day」的項目，依照列出的頁碼，尋出教科書上出現的原文，將它塡進單字卡。

①先查索引，找出頁碼：

②查出原文後，填進單字卡。

a day
He usually worked for ten hours a day.

（單字卡正面）

（一天）
他通常一天工作10小時。

（單字卡背面）

如果先把索引看一次，在自己熟記的單字上做個記號，只收集不記得的單字，將它們填進單字卡來背，當可節省更多的時間。

不擅長英文的人，可以使用這個方法，把一年級到現在學過的單字，全都征服，實力必然大增，奉勸各位同學，務必把這個招數早日付諸行動。

●學國文如何利用索引？

國文最有效的索引使用法，跟英文一樣，也在單字、成語、詞語的整理，也可以運用在背誦方面。唯一不同的是國文的單字、成語、詞句特別多，所以，必須改成一覽表的方式，然後，只選出其中最難的語句，做成卡片。

尤其是文言文，光是寫出白話文的解釋，實在不容易記牢，你可以把例句的一部分和出處也一併記入，做出下面的一覽表，印象就更深刻了。

〔實例〕

●虛字一覽表

虛字	詞性	意思	出處	舉例
乍	副詞	突然	公孫丑上篇	今人乍見孺子，將入於井，皆有怵惕惻隱之心。
毋	副詞	勿、切莫	(1)論語子罕篇	「子絕四：毋意、毋必、毋固、毋我。」（孔子戒除四種心意：莫有私心、莫武斷、莫偏執、莫只知有我，沒有別人）

			(2)大學六章	「所謂誠其意者，毋自欺也」（心意誠直的意思是說，切莫欺騙自己）
豈	副詞	難道、哪裏	(1)孟子滕文公下篇	「予豈好辯哉，予不得已也。」
			(2)孟子梁惠王下篇	「……豈有他哉，避水火也」（哪裏有別的用意？無非是想避開惡政罷了）

●社會科如何使用索引？

社會科索引的特徵，是出現一大堆人名、地名、特殊用語，量之多，恐怕是各科之冠。把它們全都記住，大可不必，不如按項分類，做成一覽表和卡片。這種一覽表和卡片，對考試前的復習，大有助益。

譬如，從左邊的索引，只摘出略語（略字），製作一覽表。

（索引上的某一頁）：

索　　引

(A)

略語	原文	意義	頁
ADB	African Development Bank	非洲開發銀行	78
AEC	Atomic Energy Commission	美國原子能委員會	125
AES	Apollo Extensions Systems	阿波羅擴大計劃	109
APP	Agence France Presse	法國通訊社	18
AGM	air-launched guided missile	空中發射誘導飛彈	159
AID	Agence for International Development	美國國際開發局	101
AQ	achivement quotient	學習能力指數	204
ASP	American Selling Price	美國特殊關稅制度	100

（把略語摘出，做一覽表）

有些重要的略語，考試也會出現，可不能掉以輕心。

又如，人名或用語中，有些是極其相似，容易混淆不清的，遇到這種情況，為了徹底了解和辨認不誤，可以利用索引，循頁碼查出各自的意義，做個「比較表」，反覆溫習，久而久之，就不會夾雜不清了。

世界史上以「路易」為名的國王為數頗多，左頁是根據索引查出來的「比較表」。路易十八世出現在兩個地方，所以，做一覽表時就得把兩處的說明綜合整理。

本是零亂而極易混淆的知識，經過索引的利用，可以像這個例子，做個綜合性的整理，不但毫無遺漏，也一清二楚，便於復習和記憶，真是功德無邊。

●數學、自然科如何使用索引？

可以使用說過的「預習式」、「復習式」等方法，徹底了解專門術語。

很多人由於對術語敬而遠之，日久生疏，就會變成不擅長的科目，你千萬不要犯這種錯誤。

數學、自然等學科，本來就是很有系統的學科，所以，考前利用索引的機會並不多。不過，看看索引，劃出常見的專門術語，自問自答，測試自己是不是對那些術語的意義已經記牢，也不失為很好的使用方法。

如果有好多常用術語，怎麽也記不住，不妨根據索引，查出內容，整理成一覽

（路易國王比較表）

1.路易一世（778～840）……142
2.路易九世（1214～1270）……190
3.路易十一世（1423～1483）……207
4.路易十三世（1601～1643）……229
5.路易十四世（1638～1715）……230
6.路易十六世（1754～1793）……249
7.路易十八世（1755～1824）……254.261

（各人簡歷比較）

表才反覆練習。

大展出版社有限公司
品冠文化出版社

圖書目錄

地址：台北市北投區(石牌)
致遠一路二段 12 巷 1 號
郵撥：01669551＜大展＞
19346241＜品冠＞
電話：(02) 28236031
28236033
28233123
傳真：(02) 28272069

·熱門新知·品冠編號 67

1. 圖解基因與 DNA （精） 中原英臣主編 230 元
2. 圖解人體的神奇 （精） 米山公啟主編 230 元
3. 圖解腦與心的構造 （精） 永田和哉主編 230 元
4. 圖解科學的神奇 （精） 鳥海光弘主編 230 元
5. 圖解數學的神奇 （精） 柳谷晃著 250 元
6. 圖解基因操作 （精） 海老原充主編 230 元
7. 圖解後基因組 （精） 才園哲人著 230 元
8. 圖解再生醫療的構造與未來 才園哲人著 230 元
9. 圖解保護身體的免疫構造 才園哲人著 230 元
10. 90 分鐘了解尖端技術的結構 志村幸雄著 280 元

·名人選輯·品冠編號 671

1. 佛洛伊德 傅陽主編 200 元
2. 莎士比亞 傅陽主編 200 元
3. 蘇格拉底 傅陽主編 200 元
4. 盧梭 傅陽主編 200 元

·圍棋輕鬆學·品冠編號 68

1. 圍棋六日通 李曉佳編著 160 元
2. 布局的對策 吳玉林等編著 250 元
3. 定石的運用 吳玉林等編著 280 元
4. 死活的要點 吳玉林等編著 250 元

·象棋輕鬆學·品冠編號 69

1. 象棋開局精要 方長勤審校 280 元
2. 象棋中局薈萃 言穆江著 280 元

·生活廣場·品冠編號 61

1. 366 天誕生星 李芳黛譯 280 元

2.	366天誕生花與誕生石	李芳黛譯	280元
3.	科學命相	淺野八郎著	220元
4.	已知的他界科學	陳蒼杰譯	220元
5.	開拓未來的他界科學	陳蒼杰譯	220元
6.	世紀末變態心理犯罪檔案	沈永嘉譯	240元
7.	366天開運年鑑	林廷宇編著	230元
8.	色彩學與你	野村順一著	230元
9.	科學手相	淺野八郎著	230元
10.	你也能成為戀愛高手	柯富陽編著	220元
11.	血型與十二星座	許淑瑛編著	230元
12.	動物測驗—人性現形	淺野八郎著	200元
13.	愛情、幸福完全自測	淺野八郎著	200元
14.	輕鬆攻佔女性	趙奕世編著	230元
15.	解讀命運密碼	郭宗德著	200元
16.	由客家了解亞洲	高木桂藏著	220元

・女醫師系列・品冠編號62

1.	子宮內膜症	國府田清子著	200元
2.	子宮肌瘤	黑島淳子著	200元
3.	上班女性的壓力症候群	池下育子著	200元
4.	漏尿、尿失禁	中田真木著	200元
5.	高齡生產	大鷹美子著	200元
6.	子宮癌	上坊敏子著	200元
7.	避孕	早乙女智子著	200元
8.	不孕症	中村春根著	200元
9.	生理痛與生理不順	堀口雅子著	200元
10.	更年期	野末悅子著	200元

・傳統民俗療法・品冠編號63

1.	神奇刀療法	潘文雄著	200元
2.	神奇拍打療法	安在峰著	200元
3.	神奇拔罐療法	安在峰著	200元
4.	神奇艾灸療法	安在峰著	200元
5.	神奇貼敷療法	安在峰著	200元
6.	神奇薰洗療法	安在峰著	200元
7.	神奇耳穴療法	安在峰著	200元
8.	神奇指針療法	安在峰著	200元
9.	神奇藥酒療法	安在峰著	200元
10.	神奇藥茶療法	安在峰著	200元
11.	神奇推拿療法	張貴荷著	200元
12.	神奇止痛療法	漆 浩 著	200元
13.	神奇天然藥食物療法	李琳編著	200元

14. 神奇新穴療法 吳德華編著 200 元
15. 神奇小針刀療法 韋丹主編 200 元

·常見病藥膳調養叢書·品冠編號 631

1. 脂肪肝四季飲食 蕭守貴著 200 元
2. 高血壓四季飲食 秦玖剛著 200 元
3. 慢性腎炎四季飲食 魏從強著 200 元
4. 高脂血症四季飲食 薛輝著 200 元
5. 慢性胃炎四季飲食 馬秉祥著 200 元
6. 糖尿病四季飲食 王耀獻著 200 元
7. 癌症四季飲食 李忠著 200 元
8. 痛風四季飲食 魯焰主編 200 元
9. 肝炎四季飲食 王虹等著 200 元
10. 肥胖症四季飲食 李偉等著 200 元
11. 膽囊炎、膽石症四季飲食 謝春娥著 200 元

·彩色圖解保健·品冠編號 64

1. 瘦身 主婦之友社 300 元
2. 腰痛 主婦之友社 300 元
3. 肩膀痠痛 主婦之友社 300 元
4. 腰、膝、腳的疼痛 主婦之友社 300 元
5. 壓力、精神疲勞 主婦之友社 300 元
6. 眼睛疲勞、視力減退 主婦之友社 300 元

·休閒保健叢書·品冠編號 641

1. 瘦身保健按摩術 聞慶漢主編 200 元
2. 顏面美容保健按摩術 聞慶漢主編 200 元
3. 足部保健按摩術 聞慶漢主編 200 元
4. 養生保健按摩術 聞慶漢主編 280 元

·心 想 事 成·品冠編號 65

1. 魔法愛情點心 結城莫拉著 120 元
2. 可愛手工飾品 結城莫拉著 120 元
3. 可愛打扮 & 髮型 結城莫拉著 120 元
4. 撲克牌算命 結城莫拉著 120 元

·少 年 偵 探·品冠編號 66

1. 怪盜二十面相 （精） 江戶川亂步著 特價 189 元
2. 少年偵探團 （精） 江戶川亂步著 特價 189 元

3. 妖怪博士 (精) 江戶川亂步著 特價 189 元
4. 大金塊 (精) 江戶川亂步著 特價 230 元
5. 青銅魔人 (精) 江戶川亂步著 特價 230 元
6. 地底魔術王 (精) 江戶川亂步著 特價 230 元
7. 透明怪人 (精) 江戶川亂步著 特價 230 元
8. 怪人四十面相 (精) 江戶川亂步著 特價 230 元
9. 宇宙怪人 (精) 江戶川亂步著 特價 230 元
10. 恐怖的鐵塔王國 (精) 江戶川亂步著 特價 230 元
11. 灰色巨人 (精) 江戶川亂步著 特價 230 元
12. 海底魔術師 (精) 江戶川亂步著 特價 230 元
13. 黃金豹 (精) 江戶川亂步著 特價 230 元
14. 魔法博士 (精) 江戶川亂步著 特價 230 元
15. 馬戲怪人 (精) 江戶川亂步著 特價 230 元
16. 魔人銅鑼 (精) 江戶川亂步著 特價 230 元
17. 魔法人偶 (精) 江戶川亂步著 特價 230 元
18. 奇面城的秘密 (精) 江戶川亂步著 特價 230 元
19. 夜光人 (精) 江戶川亂步著 特價 230 元
20. 塔上的魔術師 (精) 江戶川亂步著 特價 230 元
21. 鐵人Q (精) 江戶川亂步著 特價 230 元
22. 假面恐怖王 (精) 江戶川亂步著 特價 230 元
23. 電人M (精) 江戶川亂步著 特價 230 元
24. 二十面相的詛咒 (精) 江戶川亂步著 特價 230 元
25. 飛天二十面相 (精) 江戶川亂步著 特價 230 元
26. 黃金怪獸 (精) 江戶川亂步著 特價 230 元

・武 術 特 輯・大展編號 10

1. 陳式太極拳入門 馮志強編著 180 元
2. 武式太極拳 郝少如編著 200 元
3. 中國跆拳道實戰 100 例 岳維傳著 220 元
4. 教門長拳 蕭京凌編著 150 元
5. 跆拳道 蕭京凌編譯 180 元
6. 正傳合氣道 程曉鈴譯 200 元
7. 實用雙節棍 吳志勇編著 200 元
8. 格鬥空手道 鄭旭旭編著 200 元
9. 實用跆拳道 陳國榮編著 200 元
10. 武術初學指南 李文英、解守德編著 250 元
11. 泰國拳 陳國榮著 180 元
12. 中國式摔跤 黃 斌編著 180 元
13. 太極劍入門 李德印編著 180 元
14. 太極拳運動 運動司編 250 元
15. 太極拳譜 清・王宗岳等著 280 元
16. 散手初學 冷 峰編著 200 元
17. 南拳 朱瑞琪編著 180 元

18. 吳式太極劍	王培生著	200 元
19. 太極拳健身與技擊	王培生著	250 元
20. 秘傳武當八卦掌	狄兆龍著	250 元
21. 太極拳論譚	沈 壽著	250 元
22. 陳式太極拳技擊法	馬 虹著	250 元
23. 二十四式/三十二式 太極 拳/劍	闞桂香著	180 元
24. 楊式秘傳 129 式太極長拳	張楚全著	280 元
25. 楊式太極拳架詳解	林炳堯著	280 元
26. 華佗五禽劍	劉時榮著	180 元
27. 太極拳基礎講座：基本功與簡化 24 式	李德印著	250 元
28. 武式太極拳精華	薛乃印著	200 元
29. 陳式太極拳拳理闡微	馬 虹著	350 元
30. 陳式太極拳體用全書	馬 虹著	400 元
31. 張三豐太極拳	陳占奎著	200 元
32. 中國太極推手	張 山主編	300 元
33. 48 式太極拳入門	門惠豐編著	220 元
34. 太極拳奇人奇功	嚴翰秀編著	250 元
35. 心意門秘籍	李新民編著	220 元
36. 三才門乾坤戊己功	王培生編著	220 元
37. 武式太極劍精華＋VCD	薛乃印編著	350 元
38. 楊式太極拳	傅鐘文演述	200 元
39. 陳式太極拳、劍 36 式	闞桂香編著	250 元
40. 正宗武式太極拳	薛乃印著	220 元
41. 杜元化＜太極拳正宗＞考析	王海洲等著	300 元
42. ＜珍貴版＞陳式太極拳	沈家楨著	280 元
43. 24 式太極拳＋VCD	中國國家體育總局著	350 元
44. 太極推手絕技	安在峰編著	250 元
45. 孫祿堂武學錄	孫祿堂著	300 元
46. ＜珍貴本＞陳式太極拳精選	馮志強著	280 元
47. 武當趙堡太極拳小架	鄭悟清傳授	250 元
48. 太極拳習練知識問答	邱丕相主編	220 元
49. 八法拳 八法槍	武世俊著	220 元
50. 地趟拳＋VCD	張憲政著	350 元
51. 四十八式太極拳＋DVD	楊 靜演示	400 元
52. 三十二式太極劍＋VCD	楊 靜演示	300 元
53. 隨曲就伸 中國太極拳名家對話錄	余功保著	300 元
54. 陳式太極拳五功八法十三勢	闞桂香著	200 元
55. 六合螳螂拳	劉敬儒等著	280 元
56. 古本新探華佗五禽戲	劉時榮編著	180 元
57. 陳式太極拳養生功＋VCD	陳正雷著	350 元
58. 中國循經太極拳二十四式教程	李兆生著	300 元
59. ＜珍貴本＞太極拳研究	唐豪・顧留馨著	250 元
60. 武當三豐太極拳	劉嗣傳著	300 元
61. 楊式太極拳體用圖解	崔仲三編著	400 元

62. 太極十三刀	張耀忠編著	230 元
63. 和式太極拳譜＋VCD	和有祿編著	450 元
64. 太極內功養生術	關永年著	300 元
65. 養生太極推手	黃康輝編著	280 元
66. 太極推手祕傳	安在峰編著	300 元
67. 楊少侯太極拳用架真詮	李璉編著	280 元
68. 細說陰陽相濟的太極拳	林冠澄著	350 元
69. 太極內功解祕	祝大彤編著	280 元
70. 簡易太極拳健身功	王建華著	180 元
71. 楊氏太極拳真傳	趙斌等著	380 元
72. 李子鳴傳梁式直趟八卦六十四散手掌	張全亮編著	200 元
73. 炮捶 陳式太極拳第二路	顧留馨著	330 元
74. 太極推手技擊傳真	王鳳鳴編著	300 元
75. 傳統五十八式太極劍	張楚全編著	200 元
76. 新編太極拳對練	曾乃梁編著	280 元
77. 意拳拳學	王薌齋創始	280 元
78. 心意拳練功竅要	馬琳璋著	300 元
79. 形意拳搏擊的理與法	買正虎編著	300 元
80. 拳道功法學	李玉柱編著	300 元
81. 精編陳式太極拳拳劍刀	武世俊編著	300 元
82. 現代散打	梁亞東編著	200 元
83. 形意拳械精解（上）	邸國勇編著	480 元
84. 形意拳械精解（下）	邸國勇編著	480 元
85. 楊式太極拳詮釋【理論篇】	王志遠編著	200 元
86. 楊式太極拳詮釋【練習篇】	王志遠編著	280 元
87. 中國當代太極拳精論集	余功保主編	500 元
88. 八極拳運動全書	安在峰編著	480 元
89. 陳氏太極長拳 108 式＋VCD	王振華著	350 元

・彩色圖解太極武術・大展編號 102

1. 太極功夫扇	李德印編著	220 元
2. 武當太極劍	李德印編著	220 元
3. 楊式太極劍	李德印編著	220 元
4. 楊式太極刀	王志遠著	220 元
5. 二十四式太極拳(楊式)＋VCD	李德印編著	350 元
6. 三十二式太極劍(楊式)＋VCD	李德印編著	350 元
7. 四十二式太極劍＋VCD	李德印編著	350 元
8. 四十二式太極拳＋VCD	李德印編著	350 元
9. 16 式太極拳 18 式太極劍＋VCD	崔仲三著	350 元
10. 楊氏 28 式太極拳＋VCD	趙幼斌著	350 元
11. 楊式太極拳 40 式＋VCD	宗維潔編著	350 元
12. 陳式太極拳 56 式＋VCD	黃康輝等著	350 元
13. 吳式太極拳 45 式＋VCD	宗維潔編著	350 元

國家圖書館出版品預行編目資料

讀書三十六計／黃柏松 編著
—初版—臺北市，大展，民85
面；21 公分—（校園系列；6）
ISBN 978-957-557-616-5（平裝）
1.閱讀法
019　　　　　　　　　　85005978

讀書三十六計

ISBN 978-957-557-616-5

編 著 者／黃　柏　松
發 行 人／蔡　森　明
出 版 者／大展出版社有限公司
社　　址／台北市北投區（石牌）致遠一路 2 段 12 巷 1 號
電　　話／(02) 28236031・28236033・28233123
傳　　真／(02) 28272069
郵政劃撥／01669551
網　　址／www.dah-jaan.com.tw
E-mail／service@dah-jaan.com.tw
登 記 證／局版臺業字第 2171 號
承 印 者／國順文具印刷行
裝　　訂／建鑫裝訂有限公司
排 版 者／千兵企業有限公司
初版 1 刷／1996 年（民 85 年） 8 月
初版 6 刷／2007 年（民 96 年）10 月

定　價／180 元

大展好書　好書大展

品嘗好書　冠群可期